그 여자, 진선미

그 여자, 진선미

이연초 소설집

꺾인 생의 아픔 빛나는 생의 의지
가야 할 길은 언제나 한 발 앞에 있었다.

| 차례 |

그 여자, 진선미

1

대기가 농밀해지기 시작했다. 하늘이 대지를 향해 조금씩 가라앉고 있었다. 일몰의 시각. 오늘도 여자는 멀미가 일었다. 가슴을 쓸어내렸다. 어디선가 두둥둥, 북이 울렸다. 두두둥둥, 그것은 해일처럼 거칠어져 갔다.

여자는 지갑을 열어 동전을 확인한 다음 현관문을 조심스럽게 밀었다. 문 위에 매달린 물고기 모형의 풍경이 나지막하게 울었다. 여자는 인기척을 죽여가며 현관문을 닫았다. 습관이었다. 그림자처럼 빠져나가고 싶은 그녀를 방해하는 것은 항상 경비실이었다. 1층에 사는 여자의 집과 경비실은 잇대어 있었다. 고개만 까닥하거나 외면하면 그뿐일 텐데도 경비실을 지날 때면 여자는 몹시 불편했다. 오늘은 다행히 경비가 보이지 않았다.

여자는 곧장 커피자판기가 있는 가게를 향해 200미터쯤 걸었다. 사흘째 같은 시간 같은 동선으로 움직였다. 설탕이 든 밀크커피를 여자는 닭이 물을 먹듯 조금씩 느리게 마셨다. 자주 주변을 살폈다. 누군가가 자신을 응시하고 있는 것 같았다. 어떤 중요한 포획물이 순식간에 어디론가 이동해버린 것 같은 느낌에 사로잡히기도 했다. 여자는 몇 번인가 긴 한숨을 몰아쉬었고, 차츰 불안정한 상태에서 벗어나기 시작했다. 종이컵을 손에 쥔 채 천천히 걸음을 뗐다.

빵집과 핸드폰 가게, 대형마트를 지나 사거리 앞에서 여자는 다시 당황했다. 어느 방향으로 몸을 틀어야 할지 몰랐다. 쭉 뻗은 도로들을 겁먹은 표정으로 바라보았다. 여자는 자신의 아파트에서 더 이상 멀어지기를 원치 않았다. 고개를 치켜들고 종이컵을 빨아 댔다. 차갑게 식은 커피는 응고된 핏방울처럼 진하고, 달았다. 마지막 한 방울을 목구멍에 털어 넣고 나자 여자는 서둘러 집으로 향했다. 퇴근하는 사람들을 따라 점점이 커져 가는 불빛 속으로 걸음을 재촉했다.

오늘도 엄마는 돌아오지 않았다.

사흘째였다.

2

해 질 녘, 엄마는 배회하는 버릇이 있었다. 여자 또한 그 시각이 다가오면 마음이 불안정해졌다. 모녀는 서로에게 버팀목이 되어 균형을 유지하며 저녁을 맞곤 했다. 5시. 태엽을 막 감은 시계추처럼 여자는 정확하게 움직였다. 종일 숨죽였던 기운들이 일제히 역상해 왔다. 여자는 머플러와 모자를 챙겨 들었다. 거리를 서성이며 바람을 쐬다 보면 가슴속 열기가 조금씩 식었다.

사모님, 잠깐만요.

현관을 나서는 여자를 누군가가 붙들었다. 경비 박씨였다. 여자는 주춤주춤 경비실 안으로 따라 들어갔다. 경비실은 한 평 반도 안 되어 보였다. 한가운데에 놓인 동그란 선풍기형 전기난로 때문에 공간은 더욱 협소했다. 박씨가 좁은 여닫이문을 마저 닫았고, 여자는 옹색하게 유리문에 붙어선 채 난로의 붉은 열선을 바라보았다. 전기는 미세하게, 부지런히 움직이면서 발열하고 있었다.

혹시 저에 대해 뭔 말 없던가요?

여자는 천천히 고갤 돌렸다. 경비 박씨가 큰 덩치에 어울리지 않게 소리를 낮추며 다시 물었다.

사모님, 혹시 최씨가 저에 대해 뭔 말 안 했나요?

사모님이란 호칭이 거슬렸다. 엄마에게 맞는 호칭이었다. 여자는 아줌마도 사모님도 그 무엇도 아니었다. 여자에겐 집도 통장도 제 것이라곤 없었다. 언제부턴가 여자는 제자신이 모두 엄마의 부속물 같았다. 엄마가 와야 해. 여자는 혼자 화들짝 놀라 얼버무렸다.

무슨 말 못 들었는데요.

그 순간 여자는 경비 최씨의 뭉툭한 눈썹이 떠올랐다.

2주 전 일이었다. 화단 가에 서 있던 최씨가 반색하며 다가왔다.

주신 점퍼 잘 입고 다녀요. 오토바이 탈 때 딱이더라고요. 새벽에 교대 근무하러 올 때 그걸 입으면 아무리 바람 불어도 끄떡없어요.

다행이네요.

사람 좋게 웃는 그를 향해 여자는 의례적으로 응답했다. 그 검정 가죽점퍼는 여자가 D와 헤어지기 직전에 백화점에서 산 것이었다. 그에게 건네줄 겨를 없이 둘의 관계는 파탄이 났다. 새것이라곤 하지만 중저가인 그 가죽점퍼를 왜 챙겨 왔던 것인지, 여자 스스로도 묘연했다. 나이든 최씨에게 어울릴까 염려스러웠지만 여자는 더 생각하고 싶지 않았다. 체격이 비슷하다는 거 하나로 그에게 떠넘기고 나자 속이 후련했다.

제 말 좀 들어 보세요. 세상에 사람 그렇게 안 봤는데……

최씨가 친근한 어조로 다가들었다. 말하는 동안 짧고 뭉툭한 그의 눈썹이 불규칙적으로 씰룩였다.

세대에서 뭐 쓸 만한 거 하나 나오면 잽싸게 자기 차에 실어다가 쌩하니 제 집에 부려 놓고 온다 말입니다. 텔레비전이며 밥통, 다리미, 수거해 놓으면 글쎄 감쪽같이 사라진단 말이에요. 당신 차 트렁크에 뭐 들었는가 보자, 이러니까 불같이 화를 내며 욕하는 바람에 그만 내가 졌다, 하고 참았죠, 나이 많은 내가 참았다 이 말입니다. 사람 겉만 봐선 모른다고 참…… 나 담배 한 대만 피울랍니다.

박씨의 차는 오래된 회색 소나타였다. 경비실 앞, 눈에 띄는 곳에 주차해 놓는 바람에 여자 집에서는 잘 보였다. 그렇지만 최씨가 말한 그런 장면을 본 적은 없었다. 여자는 경비실 옆 화단 모퉁이에 동그마니 쪼그리고 앉아 담배 피우는 최씨를 물끄러미 바라보았다. 당신이었군. 새벽이면 간간이 주방 쪽으로 담배 냄새가 흘러 들어왔다. 여름이면 경비원들의 대화 소리에 아침잠을 설치곤 했다. 그러나 조금 참으면 되었다. 그녀는 남에게 싫은 소리 하지 못하는 성미였다.

여자는 경비 박씨의 얼굴을 조용히 바라봤다.

글쎄 이 라인 사람들을 붙들고 내가 무슨 선풍기를 가져갔네 텔레비전을 가져갔네, 별 이상한 소문을 내고 다닌다네요. 참 기가 막혀서. 지난 주말엔 내가 야간에 술 마시고 경비를 섰다나 어쨌다나, 말 나왔으니 말이지 술은 저가 처먹고 경비 섰지……

여자는 이 아파트에 거주한 지 5년이 넘었지만 입주민이란 의식이 없었다. 한 번도 반상회엘 나가지 않았다. 입주자 대표가 누군지 관리소장이 여자인지 남자인지, 혹은 부녀회장이 누군지 모를 뿐더러 궁금하지도 않았다. 여자는 싸늘하게 물었다.

제게 하실 말씀은요?

사모님, 이번에 입주자 회의에서 경비를 감축하자고 결론이 났어요. 각 통로마다 있는 경비실을 하나씩 빼고 돌아가면서 지키자는 걸로요.

……

사모님한테 부탁 하나 드리려고요.

……

관리사무실에 가서 한 말씀만 해 주실 수 있을까요? 저 박도형은 우리 라인에서 필요한 인물이라고, 떠나기를 원치 않는다고. 최씨가 입주민들한테 절 험담하고 다녀서, 제가 이런 부탁을 다……

키 큰 경비 박씨가 다시 여자에게 고갤 주억거렸다. 여자의 얼굴이 뻣뻣이 굳어졌다. 화난 사람처럼 입술이 비틀렸다. 여자는 가까스로 자신을 통제했다.

알겠습니다. 이만 가도 되지요?

네네, 꼭 좀 부탁드립니다.

목덜미가 시큰했다. 경비실을 나오니 찬 공기가 땀을 식혔고 온몸에 한기가 돌았다. 여자는 몹시 피곤했다.

3

바다에 빠진 엄마를 건지는 꿈을 꿨다. 엄마 몸에 하얀 얼음 조각들이 촘촘히 달라붙어 있었다.

아예 텔레비전을 켜지 말아야해.

번번이 채널을 돌렸지만 어느새 화면은 뉴스가 차지하고 있었다. 줄곧 촛불집회와 국정농단, 세월호 사건에 관한 것이었다. 뉴스를 볼 때마다 가슴이 쿵쾅거렸다. 여자가 언제부터 불안증을 겪기 시작했는지는 알 수 없었다.

여자는 물러져 썩어가는 고구마를 박스째 개수대에 쏟아 놓고 하나하나 손질하기 시작했다. 고구마 삶는 달큼한 냄새가 주방을 넘어 거실로 번져 갔다. 차고 썰렁한 거실에 따뜻한 기운이 잠깐 머물다 사라졌다. 엄마가 없는 며칠 동안 여자는 난방을 틀지 않았다. 달랑 두 식구 살면서 뭐하러 고구마를 박스째 사들인 게야, 여자는 고갤 갸웃했다. 엄마인지 저 자신이지 기억나지 않았다. 물기 많은 호박고구마를 여자는 좋아하지 않았다.

여자는 건조기를 베란다 창고에서 꺼내 들었다. 얇게 저민 고구마를 펼쳐 놓고 스위치를 올렸다. 12시간이면 될까. 24시간이었던가, 48시간? 타이머와 온도계를 만지며 여자는 망설였다. 잊어버렸다. 기억들이 하나둘 재빠르게 종적을 감추고 있었다. 내일은 동치미를 담가 볼까. 알맞게 익을 때쯤 엄마는 기다렸단 듯 나타날지도 몰라.

언제부턴가 여자는 자주 실수했다. 우엉을 두 다발이나 욕심
껏 샀지만 허탕이었다. 껍질을 일일이 벗겨 낸 다음 커다란 유리
병 두 개 가득 채웠는데 곧장 이상해졌다. 간장식초의 간이 안 맞
은 것인지 물기가 많았는지 시큼한 발효막이 끼었다. 베란다에
내다 말린 우엉 차 또한 송두리째 버려야 했다. 어느 참에 벌레가
꼬이고 있었다. 고추장에 박아 놓은 더덕도 뭔가 맛이 이상했다.
그런데도 여자는 줄기차게 제철 야채들을 사다 비축했다. 가지를
말리거나 호박고지, 감 말랭이, 배추 시래기…… 젊은 시절 엄마
처럼 여자는 이런 것을 끝없이 하려고 들었다.

냉동실은 더 이상 아무것도 들어갈 틈이 없었다. 지난봄에 한
아름 삶아 넣어 둔 개두릅순 봉지를 꺼냈다. 저건 너무 썼지. 인
터넷 검색 어디서도 해 먹을 방법을 찾지 못했다. 저 석창포는
또…… 내용물이 뭔지 모를 봉지 몇 개를 더 꺼냈다. 꽁꽁 언 그
것들은 흉물스럽게 녹아내렸다. 여자는 내다 버리면서 생각했다.
엄마에게 왜 전혀 물어보지 않았을까. 여자는 엄마가 사라지고
나서야 엄마에 대해 아는 것이 너무 없단 걸 깨달았다.

정말 바다로 간 것일까. 엄마는 자주 노래 불렀다. 선미야, 우
리 바다에 가자.

여자는 운전을 배우지 않았다. 차가 없다고 바다에 못 가는 것
은 아니지만, 엄마의 중얼거림은 그냥 '섬집아기'를 부르는 동요
쯤으로 흘려들었다.

여자는 잠시 싱크대 모서리를 짚었다. 다리가 아팠다. 고무장

갑을 낀 채 털썩 소파에 주저앉았다. 습관적으로 리모컨을 누르다가 젖은 장갑을 벗었다. 밤까지 청문회가 이어지고 있었다. 여자는 여기저기 채널을 돌렸다. 어렵게 오락프로 하나를 찾아 고정해 두고 멍하니 앉았다.

장가계 유리잔도 위에서 안정환이 땀을 뻘뻘 흘리며 긴장하고 있었다. 해발 1,430미터. 여자는 천 길 낭떠러지가 바로 보이는 유리바닥 위를 자신이 엉금엉금 기어가는 느낌이 들었다. 저런 곳을 왜 가는 걸까. 여자라면 분명 포기하고 주저앉았을 거였다. 쩔쩔매는 안정환이 안타까웠다. 출연자들이 무사히 유리잔도를 통과할 때까지 여자는 몰입하여 TV를 봤다. 언젠가 직장에서 월출산을 등반한 적이 있었다. 해발 500미터 남짓, 너비 1미터의 구름다리 위에서 여자는 벌벌 떨었다. 그때 그녀의 팔을 붙들어 준 이가 바로 D였다.

D라면 혹시 몰랐다. 엄마에 대해 새로운 정보를 가지고 있을까. 엄마는 그를 좋아했다. 아니, 엄마는 사람을 누구나 좋아했다. 그게 탈이었어. 여자는 마치 옆에 있는 엄마를 문책하듯 혼자 중얼거렸다.

4

내가 그때 손을 잡지 않았어도 우리 결혼했을까.

당연히 아니지. 이미 말했던 것 같은데?

맥주로 목을 헹구며 D가 유쾌하게 말했다.

나도.

여자 또한 밝은 목소리로 응수했다.

3개월에 걸쳐 진행된 지역홍보특집프로그램을 마친 뒤풀이 자리에서였다. 한 무리의 사람들이 있었고, 그중 가장 연장자가 물었다. 두 사람 사귀는 거 맞아요? 정말 진선미 씨 마음에 들어요? 장난처럼 던진 질문이었다. 여자는 답을 찾으려 애썼다. 그런 질문을 하다니, 면전에서. 당혹스러웠다. 무안했다. 발령받은지 1년이 채 안 된 신입 D의 얼굴이 조금 붉어졌다. D는 누군가 가득 채워 준 소주잔을 만지작거리고 있었다. 상대가 무안했을 것을 생각하자 여자의 무안함은 배가 되었다. 보다시피요! 여자가 맞은편에 앉아 있는 D의 손을 불쑥 잡아 탁자 위로 높이 치켜들었다. 소주잔이 엎어져 바닥으로 흘러내렸다. 좌중의 사람들이 놀랐다. 퇴근 후 세 번쯤 함께 식사를 하고 한 편의 영화를 보았을 뿐이었다. 둘 다 서른 문턱을 막 넘어선 때였다. 그날 밤 D는 가로등 밑에서 여자에게 첫 키스를 했다.

D가 매운탕 안에서 미더덕 한 알을 식탁 위로 골라내며 키득댔다.

순진한 여자의 저돌적인 면이 훨씬 섹시하거든.

D는 여자가 두 살 연상인 것도 오히려 매력적으로 다가왔다고 고백한 적 있다. 그러나 그뿐이었다. 여자의 순진함은 D의 삶

에 아무런 도움이 되지 않았다. 어느 날, 여자는 직장에 사표를 냈다. 민원인들을 상대하기가 힘들다고 말한 걸 몇 번 들은 적이 있지만 그렇게 쉽게 사표를 던질 줄 D는 예측하지 못했다. 인사과에서는 연가나 휴직을 권유했고 여자가 막무가내 고집을 부렸다. 이 사실은 알게 된 D는 분개스럽기까지 했다. D가 여자의 뒤를 이어 막 8급으로 승진한 뒤였다. 그들은 머지않아 7급, 6급이 될 것이고, 이른바 '걸어다니는 기업' 부부가 될 것이었다. 그녀를 이해할 수 없었다. 소심함은 충동적인 것으로, 그리고 무모함으로 곧장 치달릴 수 있다는 것을 D는 여자를 통해 알았다.

사람 없어?

D가 아직 재혼하지 않은 것이 다행이라고 여자는 생각했다. 그렇지 않았다면 전화조차 여자는 하지 못했을 것이다.

행복하니, 지금?

여자는 자신의 질문에 실소했다. D가 빤히 바라봤다. D는 그새 더 좋아 보였다. 자신과 함께 살 때보다. 여자는 자신이 누군가에게 편한 존재가 아닌 것을 견딜 수 없어 했다. 혹은 그 반대의 경우도 마찬가지였다. 그녀는 작은 균열을 견디지 못했다. 그녀가 가장 잘하는 것은 싫은 것을 죽어도 참지 못하는 것이었다. 좀 더 대범했더라면 실금 따윈 옷에 묻은 먼지처럼 탁탁 털어냈을 것이다. 여자에게 이혼은 결혼보다 더 쉬웠다. 남들에게 어려운 일이 여자에게는 더 쉬운 일이 되기도 하는 것은 역설적으로 그 소심함 때문이었다.

공무원직은 전문직이 아냐. 다시 개업할 수 있는 변호사나 의사, 기술자가 아니라고.

D에게 충고라도 하듯 떠벌였다. 평소 못 먹는 술을 세 잔이나 마신 여자는 꽤 호기스러웠다. 그런 그녀를 D는 말없이 바라보았다. 한참이나 먼 거리에서 바라보는 시선이었다. 문득 여자는 그 시선을 깨달았다. 얼굴이 달아올랐다. 식은 매운탕을 한 차례 뒤적거리다 말고 그녀는 수저를 반듯이 놓았다.

아무나 할 수 있는 일이 공무원직이란 걸 여자는 한참 뒤에야 알았다. 자신이 할 수 있는 일이 별로 없단 걸 깨달은 것이다. 이혼하면서 똑같이 나눈 집값과 퇴직금이 바닥날 무렵 여자는 몇 번인가 구직을 찾아 나섰고, 밥부터 두 끼로 줄였다. 그때 엄마가 왔다. 혼자 위태롭게 지내 오던 엄마는 누군가의 도움을 필요로 했다.

너도 적적할 테고, 엄마도 네가 가장 낫지 않겠니. 당분간만이다. 곧 무슨 수를 쓸 테니까.

부모는 여자를 살갑게 키우지 않았다. 작고 못생긴 막내딸이 자존심 상했을까. 여자는 여러 번 그런 생각을 한 적이 있었다. 오빠들은 주워 왔다고 놀렸다. 우리 집에 딸이 없어서 말야. 그럼 예쁜 애를 데려오지 뭐 하러? 얼고 풀리기를 반복하는 2월의 강물처럼 여자는 그런 말을 믿고 의심하기를 되풀이하며 성장했다.

엄마에게는 집과 아버지의 유족연금이 남아 있었다. 다행이었다.

집 안 가득 고구마향이 진동했다. 어제부터 이틀 내내 켜 둔 건조기는 뜨거웠다. 전원을 뽑고 난 여자는 D에게 전화했다.

우리 엄마한테 연락 없었지?

무슨 소리야? 우리, 아까 만났잖아?

그게……

여자는 고갤 텔레비전으로 돌렸다. 10시 뉴스가 방영 중이었다. 촛불집회는 갈수록 뜨거워지고 있었다.

여행일 수도 있잖아. 내일이라도 오실지 몰라.

뭔 소리야, 지금 5일째라며. 핸드폰도 안 된다며. 너 미쳤구나!

D는 불같이 화를 냈다. 여자는 전화를 끊자마자 채널을 돌렸다. 건강 프로였다. 금방 흥미를 잃은 여자는 텔레비전 소리를 죽인 다음 거실 불을 껐다. 어둠 속에서 TV는 등대처럼 저 혼자 환했다. 여자는 천천히 안방으로 들어갔다. 엄마의 돌침대는 뼛속까지 차가웠다.

같이 자자고 엄마가 애기처럼 보챌 때면 여자는 눈을 동그랗게 뜨고 무슨! 야멸차게 뿌리쳤다. 엄마는 점점 여자에게 엉겨들었다. 담쟁이넝쿨처럼. 여자는 얼굴을 찌푸렸다. 그래, 담쟁이 넝쿨. 지난 가을, 방충망을 타고 2층 담벼락까지 뻗어 올라간 담쟁이넝쿨은 기어이 방충망을 교체하게 만들었다. 방충망 사이사이 한 번 뿌리내린 담쟁이넝쿨은 아무리 애를 써도 떨어지지 않았다. 그것은 방충망을 잡아먹고서야 함께 사라졌다.

커튼 너머 창밖 어둠을 바라보던 여자는 몸을 흠칫 떨었다. 담쟁이넝쿨이 빠른 속도로 창문을 뚫고 기어오르는 환영이 보였다. 두 눈을 질끈 감았다. 이대로 잠이 들면 되었다. 눈을 뜨면 아침에 엄마는 돌아와 있을지도 몰랐다. 애도 참, 난방도 안 켜고 뭐하는 거냐. 엄마 음성을 애써 떠올려 보았다. 여자는 한껏 몸을 웅크렸다. 추웠다.

5

사모님, 제가 갖다드릴게요.

경비 박씨가 무 다발을 여자에게서 낚아채듯 받아들었다. 여자는 대체로 짐을 직접 들고 다녔다. 웬만해선 배달을 시키지 않았다.

지난번 부탁드린 거 혹시?

아, 아직……

사모님, 꼭 좀 부탁드립니다.

여자는 대답 대신 목례를 했다. 떠나길 원치 않는다고 말이죠. 여자는 속으로 침을 꼴딱 삼켰다. 누구나 떠나요. 그녀는 이 아파트에 정을 붙인 것도 아니었고, 누구라도 상관없었다. 마음 같아서는 둘 다 사라졌음 했다. 부엌 옆에 붙어 있는 경비실이 아예 없어졌음 했다. 그들은 엄마가 필요로 했다. 엄마는 오가며 인사도 나누고 더러 부축도 받곤 했다. 생길지 모를 불상사에 대해 안

정감을 느낀 것은 사실이었다. 명절이 아니어도 엄마는 수시로 경비들에게 선물을 건네고 친하게 지내려고 애썼다. 경비는 자주 바뀌었다. 바보 같은 사람들. 뭐하라고 있는 경비야. 여자는 경비들이 싫었다.

그날, 여자는 감기약을 먹고 잠이 들었다. 늦은 점심 뒤끝에 든 잠에서 깨어났을 때는 이미 커튼자락이 황혼으로 물들어 있었다. 엄마가 보이지 않았다. 금방 돌아올 걸로 생각했다. 점심까지 함께 먹었고, 아무런 전조증상이 없었다. 여자가 입맛 없어하자 엄마는 아귀찜을 시켰다. 여자가 반 공기를 못 먹었을 때 엄마는 밥 한 그릇을 뚝딱 해치웠다. 그래서 더욱 안심했다. 엄마는 이틀 만에 나타나, 내가 노망난 노인네냐! 여자에게 화를 냈다. 여자가 오히려 머쓱했다. 그때가 언제였을까.

아니 그날, 사이좋게 같이 감기약을 먹었다. 독감은 둘 다 아니라고 했다. 유자차를 한 잔씩 가득 배부르게 마셨다. 아귀찜을 먹은 다음에? 여자는 기억이 섞갈리기 시작했다. 생각하면 할수록 조금씩 더 꼬였다.

아무튼 엄마도 내가 지겨운 거지.

여자는 엄마가 사흘쯤 안 보여도 괜찮다고 생각했다. 그러나 이제는 벌써…… 주인 없는 32평은 하루가 다르게 넓고 횅해졌다. 아, 하면 아— 하고 더 큰 하울링이 되어 달려들었다. 여자는 기침 소리도 죽였다. 멍텅구리 경비들. 엄마가 나가는 걸 보지 못했다고! 경비가 싫었다. 여자는 경비가 필요하지 않았다. 여자에게 보호란 무의미한 단어였다.

사모님이 그냥 나가셨잖아요!

무슨 소릴 하는 거예요? 잘 부탁한다고 말씀드렸잖아요!

흥분한 여자에게 경비 최씨는 더 이상 대꾸하지 않았다. 최씨의 뻘건 목울대를 보고 여자는 거기서 멈칫했다.

석양 무렵, 잠깐 불안정해하는 것만 빼면 엄마는 큰 문제가 없었다. 갑상선 제거로 평생 신지로이드에 의존했지만 그것이 말썽을 일으킨 적은 없었다. 전정기관 신경염 때문에 예고없이 쓰러지곤 했던 증세도, 막상 여자랑 함께 살면서는 한 번도 발생하지 않았다. 문제는 공간에 대한 지남력이었다. 엄마는 집을 바로 찾아오지 못했다. 늦은 밤 가까스로 택시 기사에 의해 집으로 돌아왔을 때만 해도 여자는 크게 마음 쓰지 않았다. 그 연세에 그럴수도. 그러나 바로 그 다음 주말 밤, 여자는 옆 동네 파출소에서 엄마를 찾아와야 했다.

엄마는 자주 화를 냈고, 여자는 그럴수록 말을 잃어 갔다. 여자는 바깥 현관문 틈 바닥에 홈을 팠다. 그 사이에 대못 하나를 빗장삼아 찔러 두고 잠깐씩 외출하곤 했다. 짧은 만큼 달콤한 외출이었다.

그날, 창밖이 유난히 눈부셨다. 늘 그랬듯 여자는 빗장을 세워두고 집을 나왔다. 사거리를 지나 평소보다 더 멀리 나아갔다. 조금만 더 조금만 더. 부드러운 겨울 햇살이 유혹했다. 새로 지은 아파트 경계로 난 작은 산책길을 따라 걸었다. 푸른 무청과 파릇한 시금치 텃밭을 따라 쭉 걸었다. 마른 잡초가 무성한 공터가 나왔다. 배롱나무 한 그루와 벤치 하나를 두고 갑자기 길이 뚝 끊겼다. 신축공사가 중단된 듯 파헤쳐진 야산이 앞을 가로막았다. 여자는 순식간에 길을 잃었다. 그대로 뒤돌아서서 걸어 나오기만 하면 될 것이었다. 그런데도 길은 자꾸 막다른 골목처럼 끊겼다. 여자는 허겁지겁 내달렸다. 마침내 땀에 젖어 집에 도착했을 때, 현관문에 꽂아 둔 대못이 보이지 않았다. 여자는 안방으로 뛰어들었다. 텅 빈 이부자리. 여자는 다시 집 밖으로 뛰쳐나와 달렸다. 땅바닥이 얼굴을 향해 뛰어 올랐다. 바닥이 마구 얼굴로 달려들던 그 느낌, 그 울렁거림, 그 전율은⋯⋯

여자는 두 손으로 머리를 움켜쥐었다. 머리가 폭발할 것 같았다. 생각하면 생각할수록 뒤죽박죽 더 혼란스러웠다. 무 다발이 든 봉투와 장거리를 현관에 버려둔 채 여자는 잠깐 서성거렸다. 신발을 벗고 들어서기가 싫었다. 집 안은 괴괴하고 냉기는 바깥보다 더 심했다. 흐린 날씨 탓에 일찍 해가 지고 있었다. 어디선가 지축이 흔들리고 있었다. 가슴이 달아올랐다. 달콤하고 차가운 커피 방울의 감촉이 여자를 재촉했다.

떠날 때가 되었어, 나도 이젠.

여자는 저도 모를 소릴 혼자 중얼거리며 우산을 챙겼다. 가느다란 풍경 소리를 들으며 현관문을 닫고 돌아섰을 때, 아파트 출입구에 경비가 여전히 서 있는 것이 보였다. 순간 다시 집으로 들어가고 싶었다.

여자는 결국 먼저 입을 열었다.

지금 가서 말할게요.

사모님, 고맙습니다.

여자는 관리사무실 방향으로 걸음을 서둘렀다. 자신을 주시하고 있을 시선에서 빨리 벗어나고 싶었다. 사무실에는 남녀 직원 둘뿐이었다.

소장님은 출타 중이신데, 무슨 일로……

여자는 잠시 망설였다. 관리실 출입은 세 번째였다. 여전히 낯설고 긴장되었다.

저는 7동 5, 6 라인에 사는데요. 저희 라인의 경비 아저씨 중 박도형 씨라고, 그분이 일을 참 잘하셔요.

네?

남녀 직원 둘이 동시에 여자를 쳐다보았다. 여자는 얼굴이 화끈 달아올랐다.

저는 그 경비 아저씨가 우리 아파트를 떠나길 원치 않습니다.

암기한 것을 복기하는 초등학생처럼 여자는 힘주어 말했다.

그 말씀을 소장님께 전해 주실래요?

아? 네에.

남자 직원이 성의 없이 대답했다. 그새 여직원은 고개를 처박고 자기 소지품 정리에 바빴다. 퇴근 시간이 임박했다.

그러니까요, 함께 일하는 다른 경비 아저씨가 말이죠, 자꾸 험담을 해서 그 박도형 씨가 곤란하게 된 것 같은데, 그분이 말한 것들은 다 사실이 아니구요.

여자는 자신이 확신하지 못한 말을 하고 있다는 걸 깨달았지만 멈출 수 없었다. 도대체 두 직원 중 하나라도 듣고 있기나 하는 건지. 여자는 그들의 무관심을 뚫으려고 애를 썼다.

술 마시고 야간경비를 섰다는 둥, 수거해 놓은 티브이나 밥통들을 죄다 집으로 가져간다는 둥, 이런 건 다 그 파트너인 다른 경비 아저씨가 늘어놓은 비방일 뿐이고요.

직원은 여전히 귀 기울이지 않은 표정이었다. 여자는 잠깐, 숨을 들이켰다.

아무래도 다른 경비 아저씨, 치매기가 있으신 거 아닌가 싶어요. 정말이지…… 아무튼, 저희 입주민은 박도형 경비님이 계속 있어 주길 바랍니다. 소장님께 꼭 전해 주셨으면 해요.

여자 얼굴은 점점 더 벌겋게 달아올랐다. 이마와 목덜미에서 땀이 삐질삐질 흘러내렸다. 예기치 않게 많은 말을 늘어놓았다. 스스로도 알 수 없는 말이었다. 여자는 관리실 문을 황급히 닫고 잠시 멍하니 멈춰 섰다. 주차장을 가로질러 산책하려던 마음이 싹 가셨다. 여자의 정체불명의 열기를 식혀 주려는 듯 여명 속에서 빗방울이 한두 방울 떨어지기 시작했다. 여자는 긴 산책을 마친 것만큼이나 이미 피로했다.

엄마는 바닷가에 서 있었다. 밀물이었다. 그만 나오세요! 여자가 다가갈수록 엄마는 더 빨리 멀어져 갔다. 여자는 멈춰서야 했다. 그러자 단숨에 물이 엄마를 삼켜버렸다. 엄마는 보이지 않았다.

수도 없이 꾸는 꿈이었다. 물에서 건져지거나 물에 잠기거나.

여자는 소파에서 일어나 곧장 텔레비전을 껐다. 깜박 졸았는데 그새 또 같은 꿈을 꿨다. 다 저것 때문이야. 망할 놈의 뉴스. 추위에 굳은 얼얼한 얼굴을 감싸며 여자는 혼자 툴툴거렸다.

강추위가 이번 주 내내 계속될 모양이었다. 여자는 최소한의 난방만 고집했다. 추위와 배고픔. 왠지 그것을 견뎌야 할 것 같았다. 두 끼에는 적응했지만 추위는 여전히 새롭고 고통스러웠다. 여자는 다시 텔레비전 리모컨을 쥐고 화면을 이리저리 돌렸다. 음소거로 켜 둔 채 일감을 찾아 주방으로 갔다.

울금 두 단을 손질한 다음 어슷썰기를 시작했다. 말리든지 빻든지. 해도 그만, 안 해도 그만인 일이었지만 뭔가는 해야 했다. 주방을 넘어 거실 가득 울금 향이 번져 가자 여자는 마음이 조금 느슨해졌다. 잠시 냉랭한 실내 기운이 가신 듯했다. 새벽 두 시가 넘어가고 있었다.

6

개수대가 무에서 쏟아져 나온 흙더미로 막히자 여자는 잠깐 숨을 돌렸다. 마늘, 생강, 파, 붉은 갓, 고추…… 청각이 빠졌다.

바다 냄새 풍기는 청각이 빠지면 아무래도 엄마가 만든 동치미와는 거리가 멀었다.

청각을 사러 나가야 해. 생각과 달리 여자는 소파에 앉아 텔레비전을 켰다. 여자는 수시로 TV를 켜고 채널을 바꾸고 다시 껐다. 달리 무엇을 해야 할지 몰랐다. 모르쇠 청문회, 촛불집회, 최악의 AI…… 화면 하단의 큰 자막들을 읽으며 소파에 모로 누웠다. 낮에도 자꾸 몸이 가라앉았다.

속이 메슥거리기 시작했다. 가벼운 두통과 함께 다가드는 뱃멀미기. 해저 깊숙한 어느 곳에서 여진이 다시 시작되고 있었다. 어김없이 5시였다. 부엌 쪽창을 바라보며 여자는 고구마 말랭이를 두어 개 천천히 삼켰다. 점심이거나 저녁식사였다. 창밖은 당장이라도 땅거미가 내릴 것같이 흐릿했다.

모자에 장갑까지 단단히 갖추고 집을 나선 여자는 경비실 입구에서 멈칫했다. 새로운 경비였다.

또 바뀌셨나요?

평소와 달리 여자는 말을 건넸다.

아닙니다, 저는 임시로 대신 와 있는 겁니다요.

대신이라면……

여자는 자릴 뜨지 않고 머뭇거렸다.

한 분이 갑자기 돌아가신 바람에요.

뜨악한 표정으로 입을 연 그는 경비 최씨의 죽음을 전했다. 여자의 얼굴이 창백해졌다.

언제요? 멀쩡하셨잖아요……

이틀 전 일이라고 했다. 여자가 관리실에서 땀을 흘리며 경비 박도형을 두둔하던 그날, 여자가 최씨를 치매기 있는 노인으로 매도하던 그 시각, 그는 이미 고인이었던 것이다. 집 앞 계단 위에 고꾸라져 있는 최씨를 이웃이 아침에서야 발견했다고 했다. 평소 부정맥을 앓았다고 했다.

여자는 얼굴이 점점 새파랗게 변해 갔다. 가죽점퍼를 입고 새벽의 찬바람을 쌩쌩 가르며 오토바이를 모는 최씨의 모습이 떠올랐다. 목울대가 벌게진 채 그가 소리 질렀다. 사모님이 그냥 나가셨잖아요! 그날, 여자가 현관문을 단속 않고 정신없이 빠져나간 걸 아는 사람은 이제 아무도 없다. 사라진 자는 그저 사라졌을 뿐이다. 누구나 사라지지. 내가 원한 게 아니야.

그거, 목화솜이라는 거요!

화단 가에 망연히 서 있는 여자에게 말을 건네준 이도 경비 최씨였다. 마른 나뭇가지에 눈송이같이 하얀 목화다래가 몇 개 터지고 있었다. 돌아가신 우리 형수님 생각나서요. 그는 엄마에게도 다정다감한 사람이었다. 괜찮아요! 그가 휘파람을 불며 방금 막 제 어깨를 툭 치고 지나가기라도 한 것처럼 여자는 저 혼자 다시 소스라쳤다.

밤새 꼬박 앓았다.

여자는 자신의 행위를 곱씹고 곱씹었다. 의식은 4만8천 개로 흩어졌다 모이기를 반복했고 기억은 과거로만 역주행해 내달렸다. 기억들이 두서없이 쏟아져 나왔다. 최근보다 과거 기억들이 더욱 또렷했다.

초등학교 1학년 때였다. 칠판 앞에 나가 분필로 제 이름을 쓰고 자리에 돌아와 다시 칠판을 보았을 때, 여자는 믿을 수 없었다. 연필을 쥐듯 분필을 잡고 예쁘게 쓰느라 손과 팔을 칠판에 바짝 붙이고 정성껏 썼던 글씨는 가까스로 읽을 수 있을 만큼 작았다. 다른 아이들의 이름은 큼직큼직했다. 큰 칠판에서 지리멸처럼 가늘고 작은 '진선미'가 헤엄치고 있었을 때, 여자는 깊은 상실감에 사로잡혔다. 여자는 제 이름이 싫었다. 어떻게 그렇게 촌스러울 수가 있는지. 애나나 써니는 아니어도 선미가 뭐냐 선미가. 진달래가 낫겠다며 여자가 제 이름에 제대로 불만을 가졌을 때는 초등학교 5학년 사춘기였다. 개명을 주장하기에 여자는 이미 조숙하고 너무 소심했다.

지리멸이라니. 피식 웃음이 나왔다. 그게 뭐! 여자는 웃음을 터뜨렸다. 미열 탓인지 눈물이 그렁해졌다.

여자는 한참 고갤 숙였다. 이제 엄마는 일흔여덟. 최씨는 많아 봐야 70대 초반일 것이다. 한 사람의 죽음 위에 또 하나의 죽음, 그 위에 또 다른 죽음들이 자꾸 포개어져 여자를 압도해 오기 시작했다. 그러자 모든 것이 조금씩 더 명료해졌다. 여자는 다시 웃기 시작했다. 눈앞에 떠오른 죽음의 탑들을 와르르 쓰러트릴 기세로 여자는 세차게 웃었다.

내가 원했던 게 아니잖아. 내가 원한 게 아니라고! 괜찮아, 괜찮아.

*

경찰에 실종 신고를 한 다음, 여자는 형제들에게 사실을 알렸다. 일주일 동안이나 뭐했냐는 비난이 쏟아졌다. 여자는 묵묵히 비난을 견뎠다.

여자는 천천히 옷을 여몄다. 해가 떨어지는 시각이었다.

창밖에 언뜻 눈발이 흩어지는 게 보였다.

천화
遷化

*

여자는 쪽창 가까이 의자를 끌어당겼다. 오금지에 바짝 힘을 주면서 고개를 창가로 밀착시켰다. 화단 가에서 불쑥 뻗어 나온 나뭇가지처럼 생뚱한 팔 하나가 여자의 시선을 잡아챘다. 허공에 들린 그 팔만 아니라면, 상체가 한쪽으로 15도쯤 기운 노인의 모습은 6시 5분 전에 멈춰 선 시곗바늘 같았다. 지팡이를 짚은 오른손과 달리 머그잔을 치켜든 다른 한 손 때문에 여자는 점점 긴장감을 느꼈다.

저 팔 좀 내렸으면…. 여자는 두 손으로 횡격막을 문질렀다. 평소라면 화장실을 다녀온 뒤 야채수를 마실 시간이었다. 여자는 마른 입술을 달싹거렸다.

그만 들어가세요.

어디로, 어디로 말인가? 내가 들어갈 곳은 없다네. 나갈 곳도 없다네.

고집 센 영감탱이라니.

여자는 모노드라마 배우처럼 표정을 바꿔 가며, 손가락으로 창틈에 낀 먼지뭉치를 꾹꾹 눌렀다. 마침 화단 가에 서 있는 목련 한 그루가 노인의 기우뚱한 어깨 위로 화르르 흰 꽃잎을 떨구었다.

누가 좀 데려갔으면. 어느 보호소에서라도 나와 햇살 따스한 곳으로 데려갔으면.

여자는 웅얼거렸다. 실내의 서늘한 기운에 몸이 떨렸다. 푸르뎅뎅한 맨발을 꼼지락거리던 여자는 몸을 이리저리 비틀었다.

움직이란 말야!

여자는 방광이 터질 것 같았다.

망할 노인네! 죽어 버려!

노인의 요지부동이 가증스러워졌다. 어서 한 마리 꽃뱀처럼 스르르 화단 속으로 사라지든지, 민달팽이처럼 햇빛 속에 녹아나 버리든지. 여자는 그런 종말을 지켜보고 싶었다.

죽어, 차라리 죽어! 그대로 고꾸라져 버려!

한바탕 통증이 등뼈를 훑고 지나갔다. 여자는 거친 숨을 가다듬었다. 노인이 한 마리 새처럼 보였다. 여자는 손등으로 눈물을 닦았다. 이제 노인은 허수아비 같았다. 누가 좀 데려갔으면. 그녀는 누군가 나타나기를 다시 간절히 바랐다. 경비라도 다가와 담벼락에 기대 세워 준다면. 그저 담배 한 개비 입에 물려 주면서,

오늘 햇살이 참 좋겠군요, 말을 붙여 준다면……

통증이 등뼈를 타고 사타구니로 흘러내렸다.

노인이 잠깐 움찔했다. 허공에 들린 왼팔을 가볍게 내렸다. 여자는 한숨을 내쉬었다. 이제 자유로워진 손목은 노인의 엉덩이 옆에서 흔들거렸다. 당장 화단 가에서 꽃이라도 꺾을 수 있을 것 같았다.

여자는 비로소 쪽창 턱받이에 놓인 탁상시계를 바라보았다. 의자를 붙잡고 몸을 일으켰다. 방광이, 가슴이, 위가, 등뼈가, 열 손가락 마디마디가 일제히 아우성 댔다.

그 순간, 기우뚱한 노인의 얼굴이 여자 쪽으로 향했다. 노인은 하회탈처럼 웃고 있었다. 그가 분명 웃고 있었다. 부드럽게 퍼져 내린 사월의 아침 햇살이 가장 먼저 노인의 얼굴 위로 내려앉아 있었다.

노인이 기다렸던 것은 저 첫 햇살일까. 기다린 연인을 만난 듯 흐뭇한 얼굴로 햇살의 애무에 온몸을 맡긴 저 포즈라니. 변덕 심한 노인 같으니라고. 그 완고한 고집은 사라지고 노인은 한없이 유순해 보였다. 15도 각도로 기울어진 저 몸 어디에서 저런 기운이 솟아오르는가. 노인은 당당했다. 홀로 서서, 두 다리로 온전히 홀로 서서 해바라기 하는 기쁨을 맘껏 뽐내고 있었다.

*

　아파트 쪽문 옆 작은 공터에 흰 빨랫줄이 쳐져 있다. 화단에는 수국이 덩치 큰 사내의 주먹 같은 잎사귀를 펴 올리고 있고, 그 옆에 누군가 재미 삼아 심은 푸른 보릿대가 오소소 시퍼런 기운을 내뿜고 있다. 공터는 햇빛에 반사된 시멘트 바닥으로 눈이 부셨다.

　여자는 자꾸 눈을 감았다 다시 떴다. 화단의 진초록빛과 대조적인 하얀 공터에 노인이 동그마니 혼자서 담벼락을 따라 걷고 있다. 그는 등산용 지팡이로 더듬어 가며 이 끝에서 저 끝으로, 시계추처럼 왕복하고 있다. 흰 빨랫줄이 몸에 닿으면 노인은 그게 고압선이라도 되는 듯 우뚝 멈췄다가 돌아선다. 그는 그 선을 넘으면 안 된다.

　인간은 항상 선線을 만들었다. 안전과 평화, 질서와 행복을 지켜 주는 경계선. 법과 도덕과 관습, 교양과 예의라는 각종 이름의 선. 그렇지만 선은 위태롭다. 위태로워서 아름답다. 햇빛처럼, 흰 빨랫줄이 튕겨 내는 저 팽팽한 햇빛처럼. 윙윙대는 흰빛이 날카롭고 어지럽다. 저것이 고압선이라면, 차라리 150,000v 고압선이라면 좋겠다. 여자는 다시 눈을 감는다. 어지럼증이 쉽게 가시지 않는다.

　며칠 전 노인은 혼자 쪽문에 이르렀다가 문턱에 걸려 얼굴을 짓찧었다. 무릎이 꺾인 노인을 지나던 초등생들이 일으켜 세웠고, 마침 할머니가 등산에서 돌아왔다. 누가 예까지 나오라 했어! 참 내…. 할머니 목소리는 쌀쌀맞았다. 여자는 땅바닥에서 베레모를 집었다. 할머니가 낚아채듯 받아들었다.

그날 당장 줄을 산 것 같았다. 할머니가 쪽문 옆 빈 공터에 줄을 쳐두고 등산을 다녀오는 동안, 노인은 두 시간쯤 선 안에서 보낸다. 왼 손목에는 머그잔 크기의 라디오가 항상 달랑거린다. 노인은 시간의 흐름을 청각으로 해결한다.

이 여편네가 오늘 또 늦는구먼….

노인이 라디오를 껐다. 나 좀 도와주시오오, 도움을 호소한다. 여자의 존재를 감지했을까. 그냥 허공에 내어 보는 소리는 아닌 것 같다. 쪽문 입구에 조용히 서 있던 여자가 느릿느릿 노인에게 다가간다. 노인의 눈 밑에는 아직 생채기가 남아 있다.

－할멈이 또 안오구먼. 나 집에 가고 싶은데.

－제 어깨 잡으세요.

－아이고, 고맙소. 색시는 몇 동에 사오?

－바로 앞 동이에요…. 혹시, 조금이라도 앞이 보이세요?

－아녀, 아녀, 전혀 안 보여. 나이가 몇이나 되여? 목소리가 꼭 우리 막내딸 정도밖에 안 되는 거 같어.

뭐가 좋은지 합죽 웃는다. 누런 앞니 끝이 전부 삭아 있다. 흰 눈썹 아래 쌍꺼풀진 두 눈이 살짝 열리면서 끔벅거린다. 그렇게 해바라기를 열심히 하는 데도 얼굴은 음지식물처럼 희멀겋다.

－딱 삼 년 되었어, 이렇게 눈이 먼 지. 그래도 다리 아파 못 걷

는 사람보단 내가 낫지. 내 친구는 꼼짝 못하고 방구석에만 박혀 있어. 허, 내가 백번 낫지. 난 이렇게 맘대로 걷고 있잖여.

　－장애물 없으니 편히 걸으세요.

　그녀 말에 한결 긴장을 푸는 기색이다. 주차차량을 지나 노인의 아파트까지는 40~50미터 거리다. 출입구에 이르자, 노인이 안도의 숨을 내쉰다. 숨이 찬 것은 오히려 그녀 쪽이다.

　－고마워요. 색시. 이제 혼자 갈 수 있어.

　노인은 지팡이로 더듬거리며 벽을 지나 엘리베이터 버튼을 눌렀다. 노인의 집이 1층일 거라는 여자의 추측은 틀렸다. 엘리베이터 문이 열리자 여자는 저도 모르게 미끄러져 들어간다. 노인의 손이 익숙하게 7층을 누른다. 역한 체취가 좁은 엘리베이터 안에 진동한다.

　순간, 노인이 고개를 돌린다. 여자는 침묵한다. 유령처럼 노인을 뒤따라 나온다. 노인이 머뭇머뭇 해찰한다. 경계하는 기색이다. 여자는 다시 숨을 멈춘다. 느리게 주위를 둘러본 다음 노인이 번호 키를 누른다. 뜻밖에 손놀림이 정교하다. 마치 다섯 개의 숫자를 누르기 위해 손가락 다섯 개가 온전히 붙어 있는 것 같다. 문이 열리고, 열린 문은 노인을 삼키고 재빨리 닫힌다. 푸른색 조명 아래 드러나는 투명 형광 글자처럼 여자는 비로소 유형의 몸으로 돌아온다. 천천히 몸을 돌려 계단을 밟는다.

*

가슴보다 쇄골이 더 튀어나온 상체를 바라보며 여자는 거칠게 숨을 몰아쉰다. 아무것도 하지 않는 것이 악행보다 반드시 낫다고 할 수 있을까? 여자는 납작 달라붙은 유방을 움켜쥔다. 유두는 검은빛으로 죽어 있다. 여자는 바싹 졸아든 음부와 앙상한 허벅지를 천천히 쓰다듬는다. 발바닥에 힘을 준다. 물에 젖은 욕실 바닥에서 중심을 잡은 여자의 두 다리에 정맥이 터질 듯 솟아 있다.

여자는 갑자기 허기를 느낀다. 회복기에 50킬로까지 올랐던 체중이 30킬로대로 급격히 곤두박질친 이후, 그녀는 배고픔을 알지 못했다. 선식과 녹즙, 야채수프를 먹는 것도 중단했다. 그런데 갑자기 여자는 먹고 싶어졌다. 먹이고 싶어졌다. 몸을 잘 먹이고 싶다는 충동에 사로잡힌 여자는 병원에서 받은 식욕촉진제를 떠올렸다. 배가 두둥실 부풀어 오른다. 만삭의 배. 생각만으로 숨이 가쁘다.

시든 신선초와 당근 두 뿌리를 개수대에 버려두고 여자는 지갑을 찾아 들었다.

회색 베레모 노인은 오늘도 아파트 쪽문 옆에 서 있다. 그의 손에 하얀 빨랫줄이 감겨 있다. 혼자서 자박자박 감았음에 틀림없다.

─할멈이 안 와. 망할 놈의 망구 같으니라구.

전에 없이 노인은 화가 나 있다.

　―아이 참, 할아버지, 혼자 잘 찾아가시던데요. 제가 안내해 드릴게요.

　애교 섞인 목소리에 스스로 놀라면서 여자는 노인의 팔을 잡아끈다. 노인 얼굴이 금세 헤벌쭉 펴진다. 다 삭은 치아 너머로 컴컴한 목구멍이 보인다. 노인이 조심스럽게 여자 팔에 몸을 의지한다. 단단한 뼈마디와 체중감에 일순간 여자의 몸은 긴장한다.

　―물 한 잔 마시고 가오?

　엘리베이터가 멈추자 이번에는 노인이 팔을 잡았다. 기름종이 위, 보이지 않는 글씨 같은 여자를 향해 노인은 서 있다. 3할쯤 열린 눈으로 끔벅인다. 보이지 않는 눈 위의 흰 눈썹이 발발 떨고 있다. 어쩌자는 것일까, 저 떨림은. 여자는 그 떨림에 이끌리듯 노인을 뒤따른다.

　―허, 내게도 이런 손님이 생길 줄이야. 가만 있어 보우, 내 냉장고에서 뭐 하나 가져오지.

　노인의 동작은 실외에서와 달리 민첩하다.

　―그만 가 볼게요, 할아버지.

　―아, 아니어. 그냥 가믄 안 되어. 여기, 여기서 박카스 좀 꺼내줘요. 내가 안 보여서 말야.

　노인은 냉장고 문을 열어 둔 채 엄살을 부린다.

　―색시도 마셔어. 고마워, 우리 색시.

　순간 핑 돈다. 박카스 한 병에 여자는 어지럼증과 취기가 한꺼번에 몰려든다.

　−이게 말이여, 내겐 평생 친구여, 피곤할 때마다 난 이걸 마신
다우. 금방 기운이 펄펄 돌아와.

　노인이 미소 짓는다. 흐뭇한 저 미소라니. 문득 빼앗고 싶다.
여자는 팔에 실린 노인의 묵중한 중량감을 떠올린다. 아직 고갈
되지 않은 기운에 질투가 인다. 여자는 빈 박카스 병을 식탁 위에
소리 나게 놓는다. 그녀는 얄팍한 제 손을 천천히 들어 올린다.
노인의 손을 해파리처럼 감싼다. 노인이 움찔 놀란다. 작고 마른
두 손이 노인의 투박한 손을 들어 올린다. 그녀의 밋밋한 가슴께
로 들어 올린다.

　어 어, 노인이 뭔가 저항하려 한다. 그녀는 민둥한 젖가슴에
그의 손을 가져간다. 살 거죽만 남은 강파른 갈비뼈 언저리에 달
랑 매달린 두 젖가슴이 노인의 손아귀에 들어간다. 얇은 티셔츠
위로 미세한 떨림이, 손가락질이 느껴진다. 아기의 손놀림이 이
럴까. 여자는 생애 처음이자 마지막이 될 터치에 눈을 감는다. 노
인은 이제 장년이자 열아홉 미소년, 두 살배기 아이가 된다. 저릿
저릿 피가 데워진다. 피가 돈다. 빙빙 돈다.

　여자는 황급히 눈을 뜨고 일어선다. 허공에서 서서히 낙하하
는 노인의 두 손, 놀란 노인의 표정을 맞바라본다. 노인의 실명失
明이 그녀를 더 대담하게 만든다. 의자 옆으로 두 손을 늘어뜨린
채 어쩔 줄 모르는 노인을 그녀는 가만 안아 준다. 그녀 가슴에
푹 담긴 노인의 얼굴. 아기처럼 안기던 노인이 어 어, 애써 이성

을 찾으려 한다.

　―그만 가 볼게요.

*

　진통제를 패치로 바꾸었다. 집이 점점 넓어져 간다. 통증에서 벗어나 잠시 숨 돌릴 때마다 여자는 물건을 없앴다. 자잘한 잡동사니에서 소파와 장롱, 텔레비전과 오디오까지. 물건들은 제 몸집과 나이에 따라 크고 작은 그림자를 남기고 사라졌다. 모형 메타세쿼이아 같은 진초록 율마는 라흐마니노프곡이 흐르던 자리에 덩그러니 놓인 후로 빠르게 윤기를 잃어 갔다.

　얼마나 더 이 집에서 머물 수 있을까. 사흘씩 유지되던 패치조차 간격이 짧아지자 방문간호사는 난감한 표정을 감추지 못했다. 패치를 교체하기 전에 미리 경구용 진통제를 먹어 보지만 두 시간은 항상 통증에 시달려야 했다. 여기저기 옮겨 붙인 패치 자국으로 붉어진 가슴팍을 만지며 여자는 서둘러 전화기를 집어 든다.

　―이번엔 컴퓨터를요.

　어딘가에 좀 더 유익하게 처분할 수도 있을 텐데 귀찮았다. 여자는 가장 손쉬운 쪽을 택했다. 재활용센터. 어쩌면 귀국 전 여름의 기억 탓일지 몰랐다. 햇빛에 선명히 반짝이던 문구, '재생자원再生資源.'

여자는 매일같이 땀에 젖어 깨어났다. 에어컨을 끄고 창문을 열어 둔 채 가까스로 잠이 들면 그새 참새 떼들처럼 시끄러운 소리가 잠을 깨웠다. 축축한 습기와 새벽 공기에 진저리치며 창문을 닫기 위해 창가에 서면 이미 숙소 밖 담장 밑에 즐비해 있던 삼륜차들. 경운기같이 생긴 그 짐칸 모서리에는 노란 형광색으로 선명히 돋을새김하는 단어, '재생자원'이 있었다.

삼륜차 주인들은 짐칸을 차지하고 누워 줄곧 하늘과 손바닥만 들여다보며 시간을 보냈다. 작은 가로수 아래 웃통을 벗어든 채 트럼프를 하다가도 이내 삼륜차에 올라 종이박스로 상체를 덮은 채 잠이 들었다. 최소한 굶어 죽지는 않는다는 배짱이 그들을 천연덕스럽게 만든 것인지, 그들이야말로 재생자원 같았다. 그리고 해 질 무렵이 되면 그들은 언제 모았는지 모를 종이박스며 빈 물병과 음료수 캔으로 가득 찬 수레를 끌고 득의양양하게 철수했다.

어느 날 문득 여자는 그렇게 돌아갈 곳이 있는 그들이 부럽기 시작했다. 다투는 듯 높은 그들의 고음과 욕설, 웃음소리가 갑자기 부러웠다. 뙤약볕과 먼지 속에서도 태평한 그들을 여자는 식은땀을 흘리며 오래 바라봤다.

예정보다 일찍 서울로 돌아왔을 때, 그녀를 기다린 것은 새로운 삶이 아니라 암의 재발이었다. 겨우 1년만이었다. 암의 재생만이 명명백백한 사실임을 인정했을 때, 여자는 얼토당토않게 삼륜차들이 떠올랐다. 다시 떠나고 싶었을까.

어디로? 어디로 말인가? 내가 들어갈 곳은 없네. 나갈 곳도 없다네. 이러고 있을 수밖에. 멈춰 선 회색 베레모 노인, 박제된 새처럼 시선을 끌던 그가 웃는다. 허, 내가 백번 낫지. 난 이렇게 맘대로 걷고 있잖여.

여자는 노인을 흉내 내듯 눈을 감고 천천히 거실 안을 걸어 본다. 마침 창가로 흘러든 햇빛이 발목을 감싼다. 빛을 향해 그녀는 멈춰 선다.

나도 눈이 멀었으면. 차라리 눈이 멀고 고통 없이 더 살아남는다면…. 내년 봄에도, 그 다음 봄에도 이 무사한 햇살을 느낄 수만 있다면….

여자의 눈꺼풀 위로 온갖 초록 햇빛이 타임랩스처럼 펼쳐진다.

눈먼 노스님이 낡고 닳은 겨울이불을 덮은 채 꼿꼿이 앉아 있다. 감긴 두 눈과 동그랗게 패인 눈자위가 해골의 커다란 눈구멍 같다. 구들이 식은 지 오래인 바닥은 냉랭하고, 뭉툭한 초 두 개만 달랑 천수경 옆에 놓여 있다.

봄이 많이 왔는가?

아직 덜 왔습니다. 쑥이 덜 자랐어요. 진달래도 안 피었구요.

그럴 것이어. 이번 겨울이 좀 추웠나.

환한 초록빛 줄기들이 장방형 법당 안을 사선으로 가로지른다. 여자는 미간을 좁히며 빛을 따라간다. 잎 없는 어린 비파나무 아래 연초록 돌나물과 어린 딸기나무 잎들이 듬성듬성 돋아나 있다. 사이사이에 곰보배추가 푸른빛을 내뿜고 있다.

스님, 곰보배추로 김치 담가볼까요?

무슨, 효소나 담그지.

그래도 배추는 배춘데요, 사람도 그렇게 제 운명을 가지고 나는 걸까요?

여자는 눈을 가늘게 뜬다. 곰배배추로나 다시 태어날까. 여자는 창밖의 빛을 흡입하듯 창가에 바짝 붙어 선다.

─어? 이거 아주 좋은 건데요?

컴퓨터 기기 앞에 선 재활용센터 직원이 여자를 바라본다.

─이것도 가져가세요.

여자는 노트북까지 건네고 만다.

─저기, 어디 많이 아프신가 본데….

벌써 세 번째 방문인 그는 아무래도 마음이 편치 않는가 보다. 말도 못 붙이던 그가 오늘은 꽤 머뭇거린다. 그럼 절 한 번만 안아 주세요. 그녀는 그에게 안기고 싶다. 이런 것도 성욕이라면, 여자는 시시각각 성욕을 느끼는 중이었다. 말로 되어 나오지 못한 그녀의 끈끈한 눈빛이 당혹스런지 그가 땀을 훔친다.

─얼른 가져가세요. 싫다면 다른 데 연락할 테니까요.

여자는 냉랭하게 돌아서며 냉장고에서 박카스 두 병을 꺼내든다. 그에게 하나를 건넨다. 그는 더욱 난처한 표정이 된다. 두 손으로 작은 박카스 한 병을 비비고만 있다. 흠, 그 속에 뭐라도 들었을까 봐? 여자는 눈을 부릅뜨고 그를 노려본다. 그가 얼른 고갤 숙여 마개를 비튼다. 여자의 눈자위에 실핏줄이 번진다. 두 눈알이 빠질 듯 아프기 시작한다. 여자는 양 손바닥으로 얼굴을 쓸어 본다. 그는 오늘따라 당황해 한다. 흥, 이제 다시 만날 일은 없을 것이다.

─그럼, 안녕히 가세요.

그가 컴퓨터 본체를 현관 밖으로 내놓기도 전에 여자는 서둘러 작별인사를 한다. 그의 튼실한 어깨가 다시 그녀의 시선을 붙든다. 지금 순간 여자는 햇살 한 자락, 풀 한 포기, 지상의 무엇이라도 다 붙들고만 싶다.

─제가 뭐 도와드릴 거 없나요? 몸이 많이 불편하신 거 같은데.

그가 여전히 머뭇거린다. 무엇이 그를 멈칫하게 하는가. 죽음의 그림자가 그의 옷자락을 당기고 있는가. 여자는 자신의 머리채를 확 잡아당긴다. 손에 들린 가발을 총채처럼 흔들며 소리친다. 가란 말야, 어서 가! 그가 허둥대며 구두를 꿰찬다. 탕! 문이 요란하게 닫힌다.

그가 돌아서 온다. 그녀는 무너지듯 그의 가슴에 안긴다. 숨을 헐떡인다. 온몸으로 돌고 도는 통증 때문에 숨쉬기가 곤란하다. 아아, 견딜 수 없어, 나를 좀 놔 줘. 그러면서도 그녀 손은 갈고리가 되어 그를 붙든다. 나를 잡아 줘, 나를 꼭 잡아 줘. 그녀는 주저앉는다. 거실 모서리의 몰딩 부분이 등허리를 자극한다. 이제 한차례 통증이 지나나 보다. 바닥의 딱딱한 감촉이 느껴진다. 눈을 뜬다. 아무도 없다. 노트북마저 사라진 텅 빈 집. 터엉. 터엉.

집이 우는 소리가 들린다.

현관에는 남자가 급히 나가면서 흩뜨려 놓았던 흰 운동화가 제각각 흩어져 있다. 다 버리고 남은 운동화 한 켤레. 여자는 엉금엉금 기어가 바르게 정돈한다.

*

네, 들어갈게요….

마침내 방문간호사에게 완화병동 입소를 약속했다. 병실만 나면 모든 것은 순식간에 진행될 것이다.

여자는 새삼스럽게 실내를 휘둘러본다. 책장은 흔적을 남기고 빠져나갔다. 장식장과 텔레비전이 놓인 벽면도 마찬가지다. 겨울 옷가지들과 히터가 빠져나간 옷장, 접시와 그릇들이 비어버린 수납장, 액자가 사라진 벽의 못 자국들….

물건들도 저렇게 제 흔적을 남기는데. 여자는 윤기 잃은 율마 화분을 잠시 노려본다. 한 그루만으로도 푸른 원시림을 연상시켰던 그것은 하루가 다르게 갈색으로 변했다. 여자는 손으로 쓸어본다. 까칠한 줄기에서 아직 향기가 난다. 그녀는 더 남아있으려는 물건들이 거추장스럽다. 포획물을 찾듯 허기진 여자의 눈이 천장과 배란다, 사면 벽과 거실을 가로질러 부엌으로 향한다.

이제 여자는 검정 양장본 한 권을 손에 들고 노려본다. 책장을 버리면서 빼놓았던 유일한 책, 요절 시인 하이즈에 관한 것이다.

　내일부터는 행복해야지
　말 먹이고 장작패고 세계를 여행하리
　양식과 채소에도 관심을 가져야겠지
　내게는 집이 한 채 있어, 너른 바다 마주하고
　봄이 오면 꽃이 피리……

　내일부터는, 여자는 조용히 속삭인다. 내일부터는, 행복해야
지. 속세에서 행복하기를 바랐던 하이즈는 이 시를 쓴 지 두 달
만에 철길 위에 목을 놓았다. 여자는 시인보다 훨씬 오래 살았다.
여자는 시인보다 이백 배, 이천 배 일찍 잊힐 것이다.
　봄이 오면 꽃이 피리. 여자는 내년 봄을 생각해 본다. 자신이
죽고 없는 내년 봄. 그녀가 없어도 꽃은 필 것이다. 내년에 필 봄
꽃을 미리 보아 둬야 한다는 듯 여자는 오늘도 어김없이 벙거지
를 쓰고 집을 나선다.

　시야가 자꾸만 희뿌옇고 어지럽다. 노인 또한 예외없이 공터
에서 홀로 걷고 있다. 여자는 자동인형처럼 그에게 다가간다. 손
목에 걸린 소형 라디오를 머그잔으로 여길 만큼 시력을 잃었다
니, 어쩌면 그에게서 느낀 생기도 착각이었을까.
　ㅡ햇살이 눈부셔요, 할아버지.

사월의 쨍쨍한 햇빛 속에 화단 가 철쭉이 붉게 녹아내리고 있다.

―어, 어.

그녀를 알아챈 노인은 이제, 어,어 소리밖에 할 줄 모른다. 지팡이를 짚은 그의 손가락이 움직거린다. 그녀도 노인의 손가락 감촉을 빠르게 재생한다.

노인이 멈칫하는 새에 그녀는 흰 빨랫줄을 걷어 감는다. 감을 때마다 햇빛이 피시식 사그라지며 잦아든다. 기세등등한 흰빛을 잃어버린 빨랫줄은 이제 아무것도 아니다, ……아무것도 아니다. 라이터 한 방이면 활활 타오를 나일론 끈이다.

―할아버지, 줄을 감았어요.

―어? 어.

―가시게요.

감은 줄을 노인 손에 쥐여 주고 팔을 가볍게 잡는다.

―어, 어? 이쪽이 아니여. 방향이 틀렸어.

침묵을 끊고 노인이 항의하듯 멈춰 선다. 고집 센 영감탱이. 그녀는 가볍게 짜증이 이는 걸 참는다. 침착할 필요가 있다.

―안 보고도 잘 아시네요.

노인이 긴장을 푸는 기색이다. 칭찬은 고래도 춤추게 한다지.

―아직 시간이 많은데, 저희 집에서 차나 한 잔 드시고 가세요.

―아, 그러자고….

여자는 노인의 옆구리를 바짝 낀다. 그녀가 이끄는 대로 노인이 느릿느릿 움직여 준다. 그녀를 따라 엘리베이터 안으로 들어오며 웅얼거린다. 이럴 필요 없는데, 어, 참. 엘리베이터 상자는 금방 열린다.

—301호예요.

여자는 필요 없는 말을 덧붙인다. 노인이 아, 하며 신중하게 고개를 끄덕인다.

노인을 식탁 의자에 앉힌 다음 여자는 부엌 창가에 선다. 노인의 집 출구가 정면으로 보인다. 아무도 없다. 화단에는 철쭉만 만개해 있다. 붉고 흰 꽃무더기 위로 햇살이 흐른다. 꽃잎과 푸른 나뭇잎들을 머금은 햇빛이 형형색색으로 허공에서 산란한다. 석상처럼 굳어 있던 노인. 마른 나뭇가지 같은 팔 하나가 허공에 떠 있던 노인. 여섯 시 오 분 전 시계바늘로 멈춰 선 회색 베레모의 노인. 그가 지금 순간이동이라도 한 듯 그녀 앞에 앉아있다.

여자는 부엌 창가의 블라인드를 내린다. 실내가 일시에 서늘해진다. 눈꺼풀 위로 명암 차이를 감지하는지 노인의 눈이 바쁘게 껌벅인다.

—박카스 드릴까요?

노인이 뭐라 대답하기 전에 여자는 박카스 뚜껑을 연다. 노인의 팔목에 감겨 있는 라디오 줄을 마저 풀어 식탁 위에 놓은 다음 박카스를 노인 손에 쥐여 준다.

—하하.

낯익은 음료가 노인을 웃게 만든다. 불안이 가신 저 천진한 미소. 좋은 일이다. 여자는 노인을 따라 박카스를 단숨에 들이킨다. 배 속이 홧홧 뜨거워진다. 준비한 과일들이 생각났지만 더 이상 냉장고 문을 열고 싶지 않다.

여자는 호흡을 가다듬는다. 손은 따뜻할까? 마디마디 뼈마디는 온전한 것일까? 현기증을 가라앉힌 여자는 무릎걸음으로 노인에게 다가간다.

노인의 손을 잡는다. 손이 따뜻하다. 그의 손이 따뜻하다는 것은 여자에게 용기를 준다. 노인의 손을 젖가슴 위로 가져간다. 노인은 놀라지 않는다. 지켜보자는 듯 멈춰 있는 노인의 손. 철사로 뼈대를 만들어 놓은 의수 같다. 여자는 노인의 손가락을 하나하나 비틀어 그녀 가슴을 움켜쥐게 만든다. 그의 손가락 마디마디에 피가 돈다.

장롱과 화장대가 빠져나간 방에는 침대만 동그마니 한쪽 벽에 붙어 있다. 숱한 밤, 고통으로 삐걱댄 침대 위로 눈먼 노인을 불러내는 일이라니. 여자는 부지런히 자신을 설득한다. 상식이란 살고자 하는 이들에게나 필요한 것. 여자는 다시 한 번 깊이 숨을 들이마신다. 심장이 쿵쾅대는 소리가 파도 소리처럼 낯설다.

여자는 눈에 질끈 힘을 준다. 사타구니 사이로 조그맣게 오그라든, 호두과자같이 생긴 고환. 듬성듬성한 흰 거웃과 충혈된 성기. 이를 앙다문 여자는 노인의 물건을 두 손으로 꼭 쥔다. 물컹하다. 놀란 그녀는 하마터면 손을 놓을 뻔한다.

노인의 삭은 이빨과 여자의 부실한 이빨이 부딪힌다. 날렵한

혀가 입안을 휘젓는다. 흡입력에 놀란 여자가 노인을 밀친다. 빠져나온 혀가 여자의 목덜미를 지나간다. 쇄골을 지나 가슴에 이르자 여자는 비로소 혐오감을 통제한다. 노인의 손아귀에 들린 젖 거죽이 있는 힘을 다해 부푼다. 앙상한 가슴뼈는 가슴뼈끼리, 팔 다리 네 쌍의 마른 가지는 가지끼리 열을 내기 시작한다. 부싯돌처럼 뜨거워진다.

한 숨의 불길, 한 톨의 피가 그녀를 촉박하게 만든다. 정신은 또렷해지고 고통은 더욱 극심해져 간다. 고통은 이미 모든 것을 점령했다. 마지막 남은 한 숨마저 빼앗기기 전에, 여자는 제 손으로 육신을 갈가리 찢어 산화하고 싶었다. 그렇게 사라지고 싶었다. 여자는 눈을 꾹 감는다.

스님이 걸어간다. 허정허정 걷는 그를 따라 그녀도 소리 없이 걸어간다. 스님이 걷는다. 느릿느릿 걷는 그를 따라 그녀도 걷는다. 숲이 깊어진다. 인적 없는 깊은 숲 속, 사위가 저물어 간다. 덤불 우거진 수풀 속으로 스님이 기어간다. 그녀도 따라 기어간다. 스님이 여윈 어깨를 들썩이며 땅을 판다. 그녀도 땅을 판다. 두 손 가득 피가 나게 땅을 판다. 낙엽을 그러쥐고 스님이 홀로 눕는다. 그러쥔 몇 장의 낙엽으로 얼굴을 덮는다. 밤이슬이 내리고, 어디선가 승냥이가 울부짖는다. 이마가 넓고 주둥이가 뾰족한 붉은색 승냥이가 반짝, 나타난다. 연이어 회갈색, 황갈색, 홍갈색 승냥이 떼들이 스님을 파헤친다. 여자는 그만 그 자리에서 흐르르 물이 되어 버린다.

가슴속에서 핵이 폭발하는 파동이 인다. 여자의 두 눈에 광채가 난다, 꺼지기 전 마지막 불꽃처럼 일렁인다. 여자가 노인 위로 올라탄다. 노인의 입술을 열고 여자는 마지막 폭발음을 토해 넣는다. 여자는 이제 노인의 검은 성기를 움켜쥔다. 제 몸에 맞춰 보려고 애를 쓴다. 노인이 그녀를 안아들고 뒤집기를 한다. 그녀의 온 존재, 전 생애가 다시 한 번 저항한다. 수치와 두려움, 환희와 안도가 북받치는 감정의 혼재.

아으으으. 삼륜차들이 질주하기 시작한다. 흰 목련 꽃잎이 화르르 쏟아져 내린다. 번쩍거리는 금빛 삼륜차들이 흰 꽃잎 속에서 끝없이 행진한다.

—주책맞게 어디를 함부로 다녀어, 가만 있지 않구설랑.

—어, 박카스 하나….

노인의 목소리가 필요 이상 크다. 블라인드가 걷힌 부엌 쪽창으로 무사한 햇빛과 함께 들어오는 창밖 소음들. 적요한 시간 속에 살아 있는 것들의 소리, 소리들.

노인이 할멈과 함께 나란히 앞 동 입구로 사라져 간다. 검은 입. 두 노인을 삼킨 검은 입을 바라보며 여자는 진통제를 입에 털어 넣는다. 창을 닫는다. 블라인드를 다시 내리고 천천히 침대로 돌아온다.

이대로 잠이 들면. 내일은 다시 오지 않았으면. 머리끝에서 발끝까지 아지랑이가 피어오른다. 장롱 얼룩이 돌아가신 부모님 형상처럼 다가든다. 여자는 눈을 감는다. 길이 열린다. 좁다란 길 위에 회색 베레모 노인이 서 있다. 노인이 발가락을 꼼지락거리자 파드닥, 한 마리 새가 솟구쳐 날아간다. 어느새 노인 대신 삼륜차 한 대가 그녀 앞에 서 있다…. 눈부시게 반짝이는 노란 글귀에 홀려 다시 보니 이번엔 황금마차다.

　여자는 눈을 번쩍 뜬다.

쥐가 눈을 치켜뜬 이유

———

아랫입술이 둔감하다. 발치라도 하려고 마취시켜 놓은 것같이 얼얼한 이 느낌이라니. 제기랄, 아픈 게 더 낫겠다. 화끈화끈 쑤시거나 찌르는 통증이라면 진통제 두세 알로 한소끔 늦추기라도 할 텐데, 그러면 잠시 이놈의 육신과 정신 사이에 일말의 커뮤니케이션이라도 되는 기분이 들 터인데, 이건 도통, 백일도 안 된 젖먹이에게 어디가 어떻게 아픈가 묻는 꼴이지 뭔가. 입술이라면 이비인후과 쪽도 뭣하겠고, 둔중한 이 느낌이라면 신경외과 쪽일까. 혹, 혈액순환장애라면 한의원에서 침이라도 맞는 게 더 빠를는지? 그러고 보니, 전에도 이와 비슷한 적이 있었다.

금세 소나기라도 쏟아질 듯 세상이 소요스럽게 느껴지는 초저녁이었다. 이른 저녁밥을 먹고 학원에 가는 작은딸아이의 단단한 뒤통수를 5초쯤 바라보다가 나는 베란다 창문을 빼꼼 열고 담배 하나를 그윽이 입에 물었다. 여느 날처럼 맞은편 아파트 창에 꽃처럼 돋아나는 불빛들을 바라보고 섰던 것인데, 그 불빛 사이로 빗방울들이 소리 없이 스며들고 있었고, 돌연 나는 집을 나서고 싶었다.

순전히 비 탓이랄밖에. 비를 머금은 바람이 오소소 내 피부에 와 닿아 나를 저항할 수 없게 불러내지만 않았던들 그렇게 추리닝 차림으로 막무가내 집을 나섰겠는가. 500cc 맥주 하나로 목만 축이자 싶던 것이 그만 다섯 손가락을 다 채울 만큼 늘어난 것은 그렇다손, 겨울비답지 않게 줄기차게 내리는 비만 아니었던들 방금 돌아 나온 골목의 옆 골목 술집을 다시 찾아 들어가기야 했겠는가. 혼자 술 마시는 걸 자제해 온 내가, 혼자 술 마실 때는 죽으려고 작정할 때가 아니면 안 된다고 굳게 다짐해 온 내가 그렇게 끝까지 혼자 술을 마셨겠는가 말이다. 초저녁 산책길에 시작하여 자정이 넘도록 마셨던 건 정말이지 다 비 탓이라고만 해 두자. 그날 내가 무슨 상념에 젖어 얼마나 마셔 댔는지, 다른 취객들과 허튼 수작이나 벌이지 않았는지, 술집 앞 유리문에 토사물이라도 남기고 만 것은 아닌지, 그 모든 기억일랑 묻어 버리자.

문제는 이튿날 눈을 떴을 때 입이 잘 벌리지 않는 것이었다. 방 안 가득 꿉꿉하게 떠도는 술 냄새가 역겨웠던 나는 눈을 뜨자마자 창가로 다가갔던 것인데, 안방 유리창에는 마침 물방울이 조르륵 여러 마리의 지렁이가 되어 흘러내리고 있었고, 목이 탄 나머지 그 결로結露라도 핥고 싶었는지 혹은 구취라도 토해 내고 싶었는지 나도 모르게 입을 쩌억 벌렸던 것인데— 아악! 나는 반쯤 벌렸던 입을 간신히 닫을 수 있었다. 이런… 나는 다시 입을 조그맣게 벌렸다가 다물었다. 입을 열고 닫기는 겨우 가능했지만 그때마다 통증이 따랐다.

수십 개의 못이 전, 후두엽을 마구잡이로 쑤셨고, 무엇보다도 속이 메스꺼워서 다시 침대로 기어올랐다. 평소 같으면 어림도 없었지만 과감하게 여보 물 좀 줘, 하고 누운 채로 말했다. 마침 아내는 거울 앞에 서 있었다. 화장을 마쳤는지 탁, 하고 분갑 닫는 소리가 났다. 머리를 매만지고 나서도 아내는 앞, 뒤태까지 다 살핀 다음에야 말없이 방을 나갔는데 어쩌면 내 목소리를 듣지 못한 것 같았다. 입이 벌리지 않아 우물거렸을 뿐인지 몰랐다. 아내를 다시 부르고 싶진 않았다.

그때 스르르 방문이 열렸다. 손바닥에 민달팽이라도 붙은 듯 아내가 사납게 물컵을 머리맡에 내려놓았다. 그녀는 휑하니 방을 나갔다. 술 처먹더니 이젠 별 지랄을 다 하네. 아내는 아무 말도 하지 않았지만 나는 그녀가 그렇게 말하는 걸 들을 수 있었다.

아내가 출근하고 나자마자 나는 주방으로 나왔다. 여전히 목이 탔다. 평소대로 설거지감은 싱크대에 처박혀 있었다. 이런 날엔, 남편이 고주망태에서 덜 깨어난 이런 특별한 날엔 설거지쯤 해 놓았을까 했지만 아니었다. 아내가 처음부터 그렇게 모진 여자는 아니었다. 다 내 탓이려니. 근 몇 년 만에 모든 것이 변했다. 나는 변화를 받아들여야만 했고, 실제로 거의 다 받아들였다고 믿었다. 더러 기억이라는 것이 딸기주스의 씨앗 앙금처럼 껄끄럽게 남아 문득문득 과거를 돌아보게 했지만 나는 재빨리 방향감각을 되찾곤 했다.

흰 쌀죽 하나 쒀 주지 않는 아내가 전혀 서운하지 않다, 하고 마음을 다잡으며 물을 마시려는데 아악, 또 입이 벌리지 않았다. 이게 뭐야. 이 작은 얼굴에 턱뼈까지 비틀리고 마는 건가. 천천히 입을 벌려 봤다. 우지끈, 우레 같은 이명이 따라붙었다. 풍 맞은 환자처럼 물을 턱 밑으로 질금질금 흘려가며 컵을 비우고는 가까스로 입을 다물었다. 딱딱. 윗니 아랫니를 부딪혀 봤다. 눈에 불똥이 튀었다. 하, 손바닥을 비벼 마찰열을 냈다. 따뜻해진 두 손바닥으로 양 뺨을 감쌌다. 아무래도 턱뼈에 이상이 생긴 것 같았다. 어쩌면 안면신경이, 아니 이빨이, 그러고 보니 잇몸 뿌리가 죄다 후들거리며 아픈 것도 같았다.

입을 상하좌우로 움직여보다가 그만 포기했다. 입 언저리를 손으로 감싸 쥔 채 일단 자리에 누웠다. 울렁거리는 속과 두통이야말로 당장 바닥에 등을 대게 만들었다. 나는 죽은 듯이 누웠다. 눈을 감았다. 침을 삼킬 때마다 고요 속에 삐걱거리는 악관절이 넌, 아직 살아 있지, 하고 놀려 댔다. 위장 또한 시위를 멈추지 않았다. 몇 번인가 토사물을 더 내놓았다. 노오란 연겨자 빛깔의 위액을 게워 놓고 나자 비로소 편한 잠이 다가와 주었다.

한숨 자고 나자 악관절의 통증은 한결 부드러워졌지만 여전히 말썽이었다. 시원한 북어국 생각이 간절했지만 생각뿐이었다. 냉장고 속을 한번 휘둘러본 나는 냄비에 밥 두 술을 떠 넣고 물을 부었다. 팔팔 끓는 밥물 냄새가 식욕을 당기는지 오히려 욕지기를 나게 하는지 모호했지만, 일단 안경을 식탁에 내려놓고 뜨거운 밥물을 목에 넘기기 시작했다. 앞이 부옇게 흐린 두 눈을 연신 껌벅이며 울렁대는 위장을 달래랴 비틀린 턱을 달래랴 여간 고단한 게 아니었다. 다행히 따뜻한 기운이 조르르 들어가자 위장도 얼굴 뺨도 스르르 풀리는 것 같았다. 그러나 그때뿐이었다. 어차피 영구적인 게 뭐 있나, 나는 다시 찾아온 위통과 안면통을 그렇게 받아들였다.

벌써 날이 저무는지 하늘에는 붉은 자줏빛 햇발이 걸려 있었다. 태양은 차가운 대기 속에서 혼신을 다해 불타고 있었다. 문득 실내가 터무니없이 춥다는 걸 깨달았다. 내 몸은 덜덜 떨고 있었고 뺨 또한 얼얼했다. 보일러 난방을 켜고 부엌에 들어서자 어둠이 물컹하게 출렁거렸다. 사위가 순식간에 어둑어둑해졌다. 긴장해야 했다. 작은녀석이 학교에서 돌아오기 전에 이 추레한 몰골에서 벗어나야 했다.

흠, 뭘 먹인다지? 오므라이스나 만들어 봐? 음식 냄새를 떠올리자 다시 속이 울렁거렸지만 정말이지, 작은녀석에게만큼은 아직 괜찮은 아빠로 머물고 싶었다.

그러고는 결국, 치과엘 갔다.

그거, 치과 소관일걸? 아내는 남 이야기하듯 한마디만 툭 던지고 현관 밖으로 사라졌는데, 그 말투가 치과엘 가 보라는 건지 마라는 건지 애매했다.

치과에 가는 걸로 결정했다. 최소한 어디로 갈 것인지를 안다는 것만으로도 나는 고무되었다. 더구나 치과는 집 바로 앞에 있었고, 한 푼도 벌어들이지 못하는 가장이라지만 그 정도 병원 출입할 자격은 있다고 생각했다. 정작 문제는 치과의사가 다른 큰 병원, 그러니까 대학병원으로 가라고 추천한 데에 있었다. 하악 관절에 생긴 이상은 원인규명이 꽤 복잡하고 치료도 까다롭다나. 자세히 사진 찍고 정밀검사를 해 봐야 한다는 것이었다. 나는 그냥 집으로 돌아와 버렸다.

대학병원 대신 내가 찾은 곳은 인터넷이었는데 참으로 당연하고 현명한 판단이었다고 생각한다. 나는 나에게 투자할 돈이 없었다. 대학병원까지 찾아갈 열정은 더더구나 눈곱만큼도 없었다. 흠, 더 솔직해 보자, 겁이 났다고 말이다. 오만 가지 잡동사니 병명 중 몇 개가 턱, 하고 달라붙을 것만 같았고, 그것을 감당할 용기가 없었다. 내 몸은 삶의 기습적인 공격 스타일을 기억하고 있었다. 본능적으로 모든 걸 유예시키고 싶었을 것이다.

나는 슬그머니 인터넷을 뒤져 보기 시작했는데, 악관절 통증의 대부분이 신경성에서 유래한다는 설명을 읽은 순간 눈이 번쩍 떠졌다. 나야말로 전형적인 그 케이스거니 싶었다. 틀림없었다. 뜻밖에도 아주 많은 뇌신경이 안면에 집중되어 있었다. 그 고약

한 악관절 이상이 신경성에서 온 것임에 틀림없다고 믿는 순간부터 과연 나에게서 통증은 사라지기 시작했다. 일주일 후엔, 언제 그런 증세가 있었나, 완전히 망각하였던 것이다.

정작 악관절 통증은 거짓말같이 잊혔지만, 그 통증이 생기기 며칠 전의 사소한 일은 아직 잊히지 않았다. 잊히지 않는 그것을 이제 나는 잊으려 애쓴다.

그날도 비가 흩뿌렸다. 때아닌 겨울비가 사흘거리로 질금거리고 있었다.

― 앞으론 차 밖으로 나오지 마세요.

그렇게 말했다. 뭔가에 독이 오른 양, 한껏 벼르고 벼른 말이나 되는 것처럼 녀석은 그렇게 주문했다. 조금이라도 더 일찍 우산을 씌워 주고 싶어 교문 앞에서 서성거렸던 나는 멀리서도 금방 딸아이를 알아보았다. 영민하게 튀어나온 아이의 앞이마를 발견한 순간 내 마음은 환해졌다. 그러나 녀석은 내 곁을 미끄러지듯 비껴갔다.

…나오지 마세요. 먼저 차에 올라탄 녀석은 그렇게 선고했다. 안전띠를 매면서 나는 그러마,하고 웅얼거렸는데, 그 순간 뭔가가 맹렬한 속도로 내 몸을 빠져나가는 것 같았다. 동시에 시커먼 우물이 나타났다. 등골이 오싹했다. 식은땀이 전신의 모공에서 스멀스멀 솟았다. 이내 온몸이 가려워졌다. 뭐, 내가 과민한 게지

싶었고, 이 낡은 소형차가, 아니, 머리숱이 쑥 빠지고 반백이 되어 버린 애비의 늙은 모습이 창피했구나 싶었다. 나는 백미러를 통해 내 몰골을 훔쳐보면서 딸아이에게 미안한 마음을 다독거리고자 했다. 허나, 그런 노력과 달리 또 하나의 내가 세차게 머리를 흔들어 댔다.

첨벙. 뭔가가 깊은 우물 속으로 추락하는 소리가 들렸다. 누가 두레박 끈을 놓아 버린 것일까. 나는 깊고 어두운 우물 속으로 빨려 들어가는 느낌에 휩싸였다. 뭔가 뒤바뀐 거 아닌가 억울했지만, 미끄러지고 탈락한 건 분명 나였다. 그러자 나는 상당히 절박한 심정에 빠져들고 말았다. 집으로 돌아오는 십여 분의 짧은 시간에 두 번의 접촉사고를 낼 뻔했고, 집 앞 주차장에서는 마침내 범퍼를 벽에 박고 말았다. 그럴 때마다 입을 앙다무는 딸애의 표정은 놀라거나 걱정스럽다기보다는 한심하다는 것이었다. 고약한 느낌이었다. 아내가 나를 불필요하게 여기는 것보다 훨씬 더 고약한 느낌이었다.

내가 저를 어떻게 키웠는데. 노란 똥 기저귀까지 빨아주지 않았던가. 퇴근하고 돌아와 나는 그 시큼한 똥 향기도 좋다고 매달리지 않았던가. 괘씸한 놈. 내가 회사에서 밀려 나와 좌충우돌 끝에 모든 걸 말아먹었다손, 녀석들을 굶긴 적 없었다. 방 두 칸짜리 낡고 작은 아파트로 옮겨 왔다손, 녀석들에게 못 해준 것이 없었다. 학원을 안 보내 줬나, 꼬박꼬박 핸드폰을 안 바꿔줬나. 괘씸한 놈. 갑자기 목구멍에 대못이 걸린 듯 답답해지기 시작했다.

제 어미를 닮아 두 딸년들 모두 애비를 무시하는 것 같았다.

그날 밤, 그렇게 시작된 깨달음과 당혹감은 자고 나니 다소 둔해졌다. 그러거나 말거나 나는 내 소임을 다하기로 마음을 다잡았다. 낡은 소형차로 녀석들을 실어 나르며 학교와 학원과 집, 이 삼각형 구도 속에서 나는 햄스터처럼 살아가는 것이었다. 딱 3년만 더. 눈 딱 감고 3년만. 중 3인 작은딸까지 대학에 들어가고 나면 상자에 갇힌 햄스터의 삶을 절단 내리라. 그것은 아내와 나의 계약이기도 했다.

아이들을 엘리트로 키워 놓지 않으면 천생 도시빈민을 면치 못한다는 아내의 교육관에 내가 전적으로 동조한 것은 아니었다. 카드 빚 독촉에도 눈 하나 깜짝 않고 결혼반지를 아이의 학원비에 털어 넣은 아내의 두 눈에서는 푸른빛이 돌았다. 하늘의 달이라도 찌를 듯 기세등등한 아내의 신념- "공부라도 똑바로 시켜야 제 앞가림 할 거 아냐?"- 앞에서 나는 다만 무력했다. 아니, 그나마 나에게 역할이 주어졌다는 것을 내심 다행스러워 했다면 아, 너무 비열한 애비일까. 하여간, 나는 항상 그래왔듯 집안일에도 성실하려고 애썼다. 나는 내게 주어진 일만큼은 열심히 하는 데에 단련된 인간이었다. 적어도 내 몸에 이상한 현상들이 출몰하기 전까지는 말이다.

이번엔 아랫입술이었다. 얼얼한 느낌이 입술 중앙에서 시작하다가 차츰 입술 전체로 퍼져 갔다. 아, 이거 안 되겠군, 당장 병원에 쳐들어갈 심정으로 면도하고 외출 준비를 할라치면 어느 참에 입술은 평상심을 찾은 듯 다시 정상으로 돌아오곤 했다. 악관절의 고통에서 벗어난 지 한 달만의 일이었다.

이것도 필시 스트레스나 신경성에서 오는 거다 싶었다. 최근에 무슨 일이 있었나 헤아려 보았지만, 딱히 이거다 할 것이 없었다. 그날이 그날 같은 나날이었다. 2년여의 시간이란 내가 전업주부 일에 충분히 길들여질 만한 시간이었고 솔직히, 이러저러한 바깥싸움에서 집안으로 후퇴한 이 생활이 더 나쁠 것도 없었다.

─밖으로 나오지 마세요.

급기야 떠오른 것은 그 소리였다. 시커먼 우물 속에 그 한 마디가 둥둥 울려 퍼졌다. 생각은 거기에서 멈췄다. 흠, 모든 것이 거기에서 유래한 거라 말이지. 쫀쫀하기는. 회사에서 내침을 당한 이후, 파산선고에서 위장이혼에 이르기까지 일련의 모든 충격들을 다 이겨 냈다 싶었는데 그 사소한 한마디에 이처럼 흔들리다니 알 수 없었다.

아이는 단순히 '차' 밖으로 나오지 말아 달라는 얘기였겠지만 나는 집 밖으로, 세상 밖으로 나오지 말라는 선고처럼 느껴졌다. 짜식, 네가 뭔데. 나는 그렇게 무시할 수도 노여워할 수도 있었다. 어린아이의 철부지 응석에 내가 과민 반응한 것일 뿐이었다. 그렇지만, 열여덟 나이가 어리다고? 애써 잊으려던 사소한 기억이 자꾸 살아서 꿈틀거렸다. 일찍이 성경에는, 매에 맞으면 매 자국이 날 뿐이지만 혀에 맞으면 **뼈**가 부러진다 했다.

혀의 공격을 당하지 않는 사람,
그 광분을 겪지 않는 사람,
혀의 멍에를 지지 않고
그 사슬에 묶이지 않는 사람은 행복하다.

혀의 멍에라. 갑자기 왼쪽 발목 언저리가 뻣뻣해져 왔다. 입술의 마비기가 몸의 하단부 발목으로 전이된 느낌이 들었다. 분명한 마비. 이러다 온몸 곳곳이 정지하는 것은 아닐까···. 하, 기어이 병원부터 가 보라 이거지.

'천리한의원'
입간판 앞에서 멈칫거려졌다. '천리'가 천 리 길도 한 걸음부터의 천 리千里인지 하늘의 이치를 뜻하는 천리天理인지 알 수 없지만 나는 전자라고 믿기로 했다. 자신의 의술이 천 리까지 미치기를 바란 개업의의 소망이 떠올랐거니와 무엇보다도 내겐 집 앞 한의원까지의 행보가 천 리 길 여행을 떠나는 첫걸음 같기도 했다. 백주 대낮에 한의원을 찾는 일이 낯선 미지의 세계로 발을 들여놓는 일 같았다. 정말 떠나 버릴까, 배낭이라도 챙겨 들고 심산유곡으로 사라지고 싶은 충동이 일었다. 그러자, 두 해 전 지리산으로의 돌발적인 탈주가 떠올랐다. 이혼서류를 법원에 제출하고 나서도 한참 무덤덤하게 지냈던 어느 날 갑자기 나는 집을 나섰다. 시속 60km로 노고단 굽이굽이를 내달리고 있었고, 핸들을 잡은 손이 미끄덩거렸던 어느 순간 나는 돌연히 살고 싶어 하는 내자신과 정직하게 조우했던 것이다.

천리한의원은 2층에 있었다. 1층에는 안경점과 사진관, 빈 점포 하나가 있었고 3층은 '홍익 태권도장'이었다. 나는 천천히 계단을 올랐다. 일부러 점심시간이 지난 두 시쯤 집을 나섰다. 직장인들이나 학생들과 부딪치지 않을 거라는 나름의 계산이 적중한 것인지 아니면 원래 환자의 발길이 뜸한 것인지 한의원은 한가해 보였다.

처음이세요?

주소와 생년월일 따위 간단한 정보를 묻고 난 간호사는 옆에 놓인 안마의자를 손으로 가리켰다.

받으시면서 잠깐만 기다리세요.

머리와 어깨, 등짝과 엉덩이를 차례로 주무르고 난 의자는, 좀더 센 강도로 다시 안마를 시작하더니 마침내 탈수기 돌아가는 소리를 내면서 내 상반신을 흔들어 댔다. 문득 집에 돌아가면 세탁기부터 돌려야 한다는 생각이 떠올랐다. 손으로 주물러 빨았던 두 딸들의 양말을 요즘은 그냥 세탁기에 집어던졌고 자연 두 녀석들은 인상을 찌푸렸다. 미친것들. 제 손으로 양말짝 하나 빨지 못하는 것들. 그렇게 키우는 우리 부부는 또 뭔가.

끝났나 싶었더니 머리부터 어깨, 등짝 순서로 다시 더듬듯 조물거리기 시작하는 안마의자는 은근하기가 문득 여인네 손길을 떠올리게 했다. 이것 봐라? 사람보다 낫네. 잠시 나는 안마의자를 집 안에 들여놓으면 어떨까 생각해 보았다. 이놈은 결코 사람을 주눅 들게 만들진 않겠다. 방금 그 시원한 마사지라니. 나는 기계에게서 퍽이나 위안을 느꼈다. 텅 빈 집안에서 나에게 살뜰히 안마를 해 주는 이 검정의자야말로 가족이 아니고 무엇이랴. 돈만 있다면……. 그런 생각을 하는데, 간호사가 나를 원장실로 안내했다.

위가 안 좋군요. 입과 관련된 것은 거의가 위장하고 관계있지요. 선생님은 지금 간도 꽤 피로해… 화기가 모두 상부로 올라와 있어요. 지금 눈동자가 모두 위로 향한 상태… 상찬上竄이라고 아시나요, 마치 쥐[鼠]가 구멍[穴] 찾아 흡떠보듯 눈 치켜뜰 찬竄 자를 쓰는데……

나는 한의사의 소견을 흘려듣기 시작했다. 어디선가 가스 냄새가 새어 나왔던 것이다. 도통 의사의 말에 집중할 수 없었다. 의사의 자상한 설명은 나와의 1m 간격 사이에서 이미 가스 속으로 휘발해 버렸다. 나는 의사의 말을 따라잡을 염사가 나지 않았다. 마침내 우리는 동시에 원장실에서 튕겨 나왔다.

김 간호사, 무슨 일이야?

대기실 역시 가스 냄새가 심했다.

모르겠어요, 우리 병원엔 이상 없는데요, 밖에서 나는 것 같아요. 나가 보고 올게요.

나는 잠시 심호흡을 조절하며 서 있었다. 최대한 들숨을 적게 들이켜려는 듯 역시 입을 다물고 있던 한의사는 나와 눈이 마주치자 사무적으로 말했다.

일단 며칠 동안 침부터 좀 맞으셔야겠습니다.

그때, 미색 커튼이 쳐진 침구실이 눈에 띄었다. 출입구에 놓인 신발들로 보아 안에는 얼추 서너 명의 환자들이 누워 있을 성 싶었다. 혹, 이 가스에 취해 잠든 건 아닐 테지? 침구실이 너무 조용해서 내 상상력은 터무니없이 부풀어 갔다. 나는 무의식적으로 위아래 입술끼리 비벼 보았는데 그 둔중한 느낌은 그대로였다. 왠지 아무래도 상관없다는 기분이 들기 시작했다. 밖의 비상사태에 대한 예감 탓이었다. 그 비상사태라는 것이 어쩌면 어마어마한 것이어서 까짓 입술의 마비기야 아무것도 아니라는 기분이 들었다. 급기야 나는 원장실 옆 벽면에 놓인 안마의자를 힐끗 일별하고는 의사에게 말했다.

내가 나가 보고 오지요.

슬리퍼를 갈아 신으려고 몸을 돌리는 순간 등 너머로 의사의 서늘한 목소리가 들려왔다.

그러실 것까진 없습니다.

문득 나는, 내가 이대로 줄행랑치고 가 버릴 것을 이자는 염려하는 게 아닐까 하는 생각이 들었다. 그러자 정말 아주 병원을 나가고 싶어졌다. 그때, 간호사가 돌아왔다.

무슨 일이야?

그게요, 관장이 웬 쥐를 잡는다고 부탄가스를 터뜨렸어요. 걱정 안 하셔도 된대요.

그래도 그렇지, 무슨…

간호사가 환기를 시키느라 새삼스럽게 창문을 열기 시작했고, 의사는 뭔가 미심쩍다는 듯이 이마를 찌푸렸다.

이건 너무 심한데, 정말 괜찮은 거야?

한의사는 흰 가운만 아니라면, 그러니까 진료시간만 아니라면, 더 정확히 환자인 나만 면전에 없다면, 직접 내려가 보련 하는 얼굴이었다.

내가 한 번 나가 보지요. 난 바쁠 게 없으니까요.

나는 다시 몸을 돌렸고 의사는 더 이상 제지하지 않았다. 아, 그래 주시겠습니까? 의사는 아무 말도 하지 않았지만 이번엔 그렇게 읽혀졌다. 현관문을 나서자, 가스 냄새가 더욱 심했다. 태권도장이 있는 위층을 올려다보았지만 진원지는 아래쪽이었다. 지독한 가스 냄새가 올라왔다.

계단을 내려가자, 총을 든 키 큰 사내를 대여섯 명의 아이들이 에워싸고 있었다. 아이들은 신이 난 듯 들떠 있었고, 관장으로 보이는 사내는 컴퓨터 기기 앞에서 조준하는 포즈를 취하고 있었다. 총싸움 놀이 중이라기엔 안개처럼 뿌연 가스 냄새가 불길했다.

지금 뭐하는 거요? 이 가스 냄새는 대체 뭐요?

네? 걱정 마세요. 이제 가스는 다 썼습니다.

총을 내려 놓으며 관장이 내게 미소를 지어 보였다. 어쩐지 어설프고 모호한 미소였다. 이미 한차례 간호사에게 추궁당한 뒤끝이라 기가 한풀 꺾인 듯 했다. 얼추 삼십 대 후반은 지나 보였는데, 큰 몸집과 어울리지 않게 얼굴에는 순진한 기색마저 감돌았다. 조무래기들에게 에워싸여 총놀이 하는 풍경 탓인지도 몰랐다. 이제 갓 훈련을 마친 사격수처럼 그의 조준 자세는 꽤 안정되고 자연스러워 내 눈에도 언뜻 그럴싸해 보였다. 조무래기들이 흠뻑 빠져들 만했다.

출입구가 도로와 면한 1층 상가들과 달리 각기 2, 3층을 독차지하고 있는 천리한의원과 홍익태권도장의 입구는 건물 옆면으로 돌아가 있어서 자연히 입구에는 서너 평 남짓의 공터가 있었다. 그 공간이 관장과 조무래기들에게는 적당한 전쟁놀이터가 되고 있었다.

그 총은 또 뭐요? 이 가스 속에서 아이들과 뭐하는 거요? 총을 진짜 쏘고 있었단 말이오?

나는 따지듯 물었다. 바닥에는 비비탄 총알들이 사방으로 흩어져 있었다. 순간적으로 아이들의 안전이 걱정되었다. 관장은 총부리를 손바닥으로 쓱 쓸어 보였는데, 그 큼직한 손을 흔들면 진한 화약 냄새가 물씬 풍겨날 것 같았다. 그의 사소한 동작에는 총에 대한 긍지가 깃들어 있었다.

그럼요. 지금 이 속에 쥐가 한 마리 들어가 있거든요. 나는 기어이 이놈을 총으로 쏴 죽여야 해요.

다소곳한 표정을 말끔히 지운 관장은 당당한 기세로 내게 컴퓨터 본체를 들어 보였다. 나는 설마, 하고 먼지 낀 낡은 기기 속을 들여다 보았다. 아무것도 보이지 않았다.

차라리 그대로 내버려 둬야 쥐가 빠져나올 것 아니오? 그렇게 몰아세우면 어디 나오기나 하겠소?

아니오, 난 기어이 쥐를 내 손으로 잡아 죽여야 해요. 그것도 이 총으로 쏴 죽일 거요. 내가 저 쥐 때문에 잠도 못 자고, 알레르기가 생긴 걸 생각하면, 이가 갈려요. 내 기어이 죽일 테요, 놈을.

관장의 눈이 희번덕거렸다.

아, 그래서 저 부탄가스를 컴퓨터 속에다 쏟아부었다는 거요? 쥐더러 빠져나오라고?

입구 벽면에 자전거 타이어의 공기 주입기와 함께 부탄가스 통들이 세워져 있었다. 나는 일일이 흔들어 보았다. 다섯 개의 캔이 모두 비어 있었다. 더 이상 가스 냄새가 심해질 일은 없었다. 그래도 그렇지, 이 사람 싸이코 아냐? 의심스러웠다. 그를 따르는 철부지 어린아이들이 다시 걱정스러워졌다.

나는 관장의 손에서 총을 빼앗고 싶었다. 총이 아니면 그 비비탄 총알이라도 몰수하고 싶었는데, 웬일인지 관장의 어깨와 나란히 차렷 자세로 서 있는 총을 본 순간 그 생각이 뚝 멈췄다. 총이 꽤 멋지다는 생각이 들었다. 그것은 아이들의 장난감 수준 이상으로 보였다. 문득 나도 그 총을 한번 쏴 보고 싶었다.

원장 선생님이 기다리시는데요!

간호사가 계단 층계참에 서서 소리쳤다. 엉거주춤 몸을 돌려 계단을 오르던 중 나는 나도 모르게 뒤를 돌아봤다. 관장이 고개를 들고 나를 힐끗 쳐다봤다. 그의 시선은 곧 폭발할 것 같은 어떤 열기로 충만해 있었다.

다시 한의원을 나왔을 때는 아무도 없었다. 내 우려와는 상관없이 모두 말끔히 사라지고 없었다. 마치 물로켓이라도 쏘아 올리는 축제 분위기의 아이들도, 진지한 표정의 관장도, 까만 컴퓨터 본체도, 부탄가스통도. 불길한 가스 냄새조차도 그 사이 모두 사라지고 없었다.

허 참. 나는 잠시 한의원 입구에 서서 고개를 쳐들었다. 홍익 태권도장에서 아이들의 기합 소리가 산발적으로 들려왔다. 허 참. 나는 결국 느릿느릿 도로를 가로질러 걷기 시작했다. 움직일 때마다 내 몸에서 쑥뜸 냄새가 새어 나왔고, 담배 생각이 간절해졌다. 코트 안쪽에서 풍겨나는 쑥뜸 냄새를 맡느라 나는 자꾸 큼큼거렸다. 해로운데요, 당분간만이라도 끊어보시지요. 한의사 충고가 떠올랐으나 나는 담배를 피우기 위해 걸음을 서둘렀다.

그런데, 이상한 일이었다. 꿈속에 관장이 나타났다. 나는 항상 옅은 잠 속에서 그렇고 그런 꿈속을 헤맸고 정작 일어났을 때는 아무런 기억도 하지 못했다. 이번엔 달랐다.

나는 그의 매끈한 총을 홀린 듯 바라보고 있었다. 홀연 그가 몸을 획 돌리더니 총부리를 나에게 겨누었다. 1미터 장총을 나를 향해 조준하고 있는 관장의 희번덕거리는 눈빛과 희열에 찬 미소. 나는 사색이 되어 어디론가 숨을 곳을 찾았다. 급히 까만 상자 속으로 기어 들어갔다. 어두운 상자 속을 잘 들여다보려는지 관장의 흰자위 많은 눈알이 가까이 다가왔다. 나는 내 주둥이를 최대한으로 뾰족하게 모았다. 콩알만 한 틈새로 그의 눈알을 쪼았다. 가히 놀라운 순발력이었다. 관장의 한쪽 눈에서 붉은 핏방울이 뚝뚝 떨어졌다. 성난 그가 나를 향해 총구를 들이댔고 우지끈 소리와 함께 상자에서 생쥐 한 마리가 튀어나왔다. 유혈이 낭자한 채 녀석이 찍찍거렸다. 나도 말야, 한때는….

기분 나쁜 꿈이었다. 더구나 생생하기까지 했다. 나는 얼얼한 입술을 문지르며 멍하니 앉았다. 쥐새끼라니, 오물과 핏물에 축축하게 젖어 등뼈마저 앙상하게 드러난 까만 쥐새끼라니. 더구나 짓밟힌 지렁이가 꿈틀대듯 저항하는 꼴이라니. 아니, 없는 부리를 만들어 일격을 가하던 그 주둥이에서 나오는 소리라니. 그 찍찍거리는 소리를 나는 어떻게 인간의 언어로 해독해낸 걸까? 아하, 녀석이 바로 나였으니까? 더러운 꿈이었다. 그 꿈에서 벗어나기 위해 나는 얼른 자리를 털고 일어났다.

아내는 간밤에 꽤 취해 들어온 기색이었는데도, 어느새 출근하고 없다. 고객관리 차원이라지만 아내는 갈수록 술이 느는 것 같다. 아내가 대견하다는 생각은 오래전에 사라져버렸다. 부지런하다 못해 맹렬하기까지 한 그녀가 요즘엔 무서울 지경이다. 그러는 나는, 사람 속에서 살아가고 있기나 하는 걸까. 점점 사람들과 멀어지고 있지 않는가. 아내나 딸아이들이 문제일 리는 없다. 나만 사람스럽지 않는 것이다. 결국 나만 사람스럽지 않는…. 합리적인 결론이군. 하, 이러다 정말 내가 쥐새끼로나 둔갑하는 건 아닐까.

나는 다시 콩벌레처럼 몸을 말고 눈을 감았다. 식탁엔 큰딸, 작은딸, 아내가 차례로 밥술을 뜨고 난 흔적이 화석처럼 아침의 시차를 드러내고 있을 것이다. 어젯밤에 지은 윤기 잃은 밥풀은 그릇에 그대로 눌어붙어 남루한 내 삶을 반추하게 하리라. 어떤 젊은 남성 주부는 현미, 보리, 콩, 팥, 조, 기장, 수수를 넣은 칠곡七穀으로 밥을 짓는다 했던가. 그가 이끄는 남성주부클럽은 내게 아득히 먼 세계다. 이미 머리 희끗한 세월을 살아온 내게 전업주부의 신념이나 열정일랑 처음부터 무리였다.

그렇긴 해도 나는 확실히 요즘 게을러졌다. 지난번 하악관절의 이상 때부터 흐름을 놓쳤다. 도대체 뭣 때문에 아이 운전도 못해 준다는 거야? 아내의 눈초리는 가히 밥벌레 대하는 것 같았다. 큰 녀석의 등하교 운전에도 손을 떼고 말았으니 정말이지, 나도 내 자신을 이해할 수 없다. 하인 부리듯 도도하고 버릇없는 딸자식에 대한 반감 때문은 결코 아니었다. 녀석을 탓할 마음은 전혀 없었다. 수능 1등급을 확고히 지키고 있는 녀석이 자랑스럽고 대견할 뿐이었다. 그런데도 도통 내 자신을 설득할 수 없었다.

오전 내내 다시 잠들기를 반복했다. 기분 나쁜 꿈을 전복시키기 위해 다시 꿈꾸고자 했지만 어디 쉬운 일이 있으랴, 꿈꾸려던 꿈을 포기하고 마침내 방에서 나온 것은 정오가 한참 지나서였다. 사실, 내가 다시 꿔 보고 싶은 꿈은 그저 소박하고 하찮은 것이었다. 미끈한 총을 거머쥐고 시원스레 쏴 보는 것. 내 총탄에 박살나는 것은 그 사내여도 좋고 새앙쥐여도 좋고 시커먼 우물 속 어둠이어도 좋고, 어느 계집아이가 놓아 버린 두레박 옆구리여도 좋고, 아아, 내가 그 미끈한 총을 잡고 위풍당당하게 휘둘러 보는 것. 단순히 그런 꿈이었다.

설거지와 청소를 미루고 한의원으로 달려갔다. 입술의 마비기는 다행히 아랫입술에만 머물고 있어 당장 확산될 것 같지 않았다. 왼쪽 장딴지와 발목께의 먹먹한 기운은 여전히 기분 나빴지만, 다 무시하기로 했다. 자기최면이라는 걸 떠올리면서, 나는 너무 내 몸 구석만 들여다보고 있는 거 아냐? 하는 반성을 해 보았다. 그러고 보니 정말 내가 매사에 과민하거나 불필요한 자의식에 붙들렸구나 싶었다. 까짓 이 한 몸뚱이에 뭐 그리 연연하누. 그깟 3년쯤이야 이러구러 몸이 버텨 주겠지 싶었다. 그러면 뭐 하러 굳이 이렇게 한의원으로 득달같이 달려가느냐? 잠깐 자문했다. 침을 맞고 부항을 뜨고 한약 한 재를 지을 거냐 말 거냐를

결정하는 데 관심 있는 게 아니다. 오직 그치를 만나고 싶을 뿐이다. 나는 곧장 자답했다.

그는 과연 쥐를 잡았을까? 총을 내려놓고 애써 미소 짓던 관장의 곤혹스런 눈빛이 떠올랐다. 거기에 기묘한 열정이 덧씌워져 흔들거리던 기억이 또렷하다. 그 열정은, 그 집요하고도 열기에 찬 맹목의 복수욕은 어디서 온 걸까. 생쥐 한 마리에 분기탱천한, 튀어나갈 탄알처럼 단단히 뭉친 그의 적개심은?

2층 천리한의원을 건너뛰고 곧장 3층으로 들어섰다. '홍익'이라는 노란 글씨판의 'ㅎ'이 떨어져 나간 유리문이 눈에 띄었다. 나는 상처에 손을 대듯 조심스레 손잡이를 밀었다. 문은 굳게 닫혀 있었다. 손잡이에 걸리는 자물쇠 소리는 모든 것을 거부하는 것처럼 완고하게 느껴졌다. 한의원부터 들러 봐? 막 돌아섰을 때, 투드득투두득, 낯익은 소리가 안에서 들려왔다.

나는 문을 쾅쾅 두들겼다. 낡은 유리창들이 와르르 쏟아질 것 같았다. 두들길 때마다 건물이 송두리째 흔들리는 것 같았다. 문이 삐끗 열렸다.

뭐요?

핏발 선 눈으로 관장이 나를 내려다봤다. 나는 다짜고짜 도장 안으로 몸을 밀어 넣었다.

어제, 그 쥐는 잡았소?

관장의 대답을 들을 새 없이 파란 비닐매트가 깔린 도장 바닥을 뛰듯 가로질렀다. 중앙에 검정 컴퓨터 본체가 뒤집어진 채 놓여 있었다. 나는 그 곁에 다소곳이 놓여 있는 까만 총을 순식간에 덮쳤다.

이윽고, 맞은편 벽면 가득 군데군데 균열이 간 대형거울 속에는 희열에 찬 사내 하나가 총을 거머쥔 채 서 있었다. 낯익은 그 얼굴이 고개를 숙이자 투타투타투타, 하얀 총알들이 사방으로 튀기 시작했다. 픽! 동시에 뭔가가 맹렬한 속도로 내 가슴을 강타했다. 허걱, 숨이 끊어질 것 같은 통증을 참으며 나는 방아쇠를 잡은 손을 필사적으로 움켜잡았다.

뭐야, 도대체 당신 뭐야!

내가 쥐를 잡아 주겠소.

뭐라구? 이봐요, 그 쥐는 내 거요, 내가 쏴 죽일 거란 말이오. 썩 비켜나지 못하겠소?

나는 방아쇠를 잡은 손아귀에 다시 힘을 가했지만 역부족이었다. 키 큰 관장의 억센 두 주먹이 부르르 떨더니 이내 개머리판을 움켜잡고 뒤흔들었다. 나는 턱을 총 상판에 얻어맞고 나가 떨어졌다. 그 순간이었다. 다시 관장의 어깨로 돌진했고 내 손은 다시 총구를 붙들었다.

정말 이러기요?

갑자기 손바닥이 불붙은 듯 뜨거워졌다. 투드드득, 소리와 함께 불길이 얼굴로 쏟아져 내렸다. 순간, 가슴까지 뜨거워지더니 알 수 없는 희열이 몰려들어 왔고, 이내 속이 후련해지기 시작했다. 10년 먹은 체증이 내려간 듯 통쾌했다. 나는 그대로 벌러덩 누워버렸다.

그때였다. 어흑. 어디선가 목울음 삼키는 소리가 들렸다.

나는 수십 마리 벌에 쏘인 듯 얼얼한 얼굴을 두 손으로 감싼 채 눈을 떴다. 관장이, 거인같이 거대한 관장이 두 주먹으로 얼굴을 훔치고 있었다. 핏발 선 그의 눈동자가 상찬上竄되어 있었다. 웅크린 그의 몸이 점점 오그라들기 시작했다. 그 또한 쥐처럼 작아지고 있음을 나는 한눈에 알아봤다.

나는 천천히 몸을 일으켰다.

하이드비하인드

1

도형은 쉽게 들어서지 못했다. 잘못 찾아든 외판원처럼 입구에서 쭈뼛거렸다. 출입문 사각형 아귀 어딘가가 비틀려 보였다. 천장 모서리가 약간 기우뚱했다. 눈을 비볐다. 왜 이렇게 낯선가. 겨우 일주일 만이었다. 도형은 문손잡이에 돋움체로 써진 '미시오'를 처음 보듯 바라봤다. 선뜻 손이 가지 않았다.

7층 열람실의 대형 유리문이 등 뒤에서 소리 없이 닫혔을 때, 도형은 또다시 걸음을 멈췄다. 몇몇 사람들이 출입구를 등지고 띄엄띄엄 앉아 있었다. 6인용 연갈색 책상들은 반듯하게 정돈되어 있었고, 창가에는 열두 개의 미색 로만쉐이드가 흰 조정 줄을 늘어뜨린 채 드리워져 있었다. 하얀 천장의 사각 이음새도 단정했고, 그 사각형 크기만큼 음각으로 박혀 들어간 조명들도 밝고 깨끗했다. 아흔 개의 형광등이 하나도 빠짐없이 불을 밝히고 있었다.

신축 도서관은 여전히 산뜻했다. 아무것도 달라지지 않았다. 그런데도 도형은 발걸음을 뗄 수 없을 정도로 낯설었다.

─도서관에는 미래가 없어. 저렇게 등 돌리고 앉아 뭘 하는 거지? 나가자, 나가.

정은은 도형의 손목을 끌어내곤 했다. 오래전 일이었다. 참나무 잎 사이로 비쳐 든 아침 햇빛이 유난히 눈부신 나날들이었다. 날벌레들의 투명한 날갯짓과 향긋한 수풀 더미, 그 풀섶 위를 나는 꿀벌들의 붕붕거림과 지천에 솟은 붉은 뱀딸기들….

도형은 두 귀를 어루만지며 두리번거렸다. 방금 제 귓가에 소곤대고는 나 잡아 봐라! 그녀가 숨어버린 것 같았다. 정은을 또 떠올리다니. 도형은 혀끝을 아프게 물었다. 어머니를 하관할 때 느닷없이 그녀가 생각났다. 이대로 사라지시는군요, 그 순간 갑자기 정은의 얼굴이 떠올랐던 것이다. 그러나 도형은 곧장 평정심을 되찾았다. 어머니의 무덤에 붉은 흙을 한 삽 뿌리고 고개를 들었을 때, 도형은 모든 것을 떠나보낼 수 있을 것 같았다.

그래, 공동묘지 같아. 도형의 눈에는 띄엄띄엄 앉아 있는 사람들의 둥근 등이 저마다 하나씩 무덤을 이고 있는 것처럼 보였다. 누군가가 도형의 어깨를 밀쳤다. 맨발에 검정 샌들을 신은 사내였다. 비켜서며 반사적으로 고개를 들었을 때, 사내는 이미 성큼성큼 안쪽으로 걸어 들어갔다. 도형은 얼떨결에 따라 움직였다.

도서관 이용객들이 들이닥치고 있었다.

평소 앉았던 좌석을 찾아 안쪽으로 깊숙이 들어갔다. 그런데 그 사내가 먼저 엉덩이를 주저앉혔다. 지정석이라고 따로 정해진 것은 아니지만 그 자리는 항상 도형의 것이었다. 도서관을 이용하다 보면 앉는 자리가 정해지게 마련이었다. 매일같이 다니는 사람들은 암묵적으로 그 질서를 지켰다. 창가의 마지막 좌석을 천연덕스럽게 차지한 사내는 도형을 향해 얼굴을 들었다.

도서관 맨 안쪽까지 따라 들어간 셈이 되어 버렸다. 도형은 사내를 비켜 맞은편 책상 위에 가방을 놓았다. 사내와 대각선으로 마주 보는 자리였다. 출입구를 등진 좌석에 앉자 도형은 뒤통수가 가려운 느낌이 들었다. 등 뒤에 문이 있다는 사실이 그는 익숙하지 않았다. 불편은 차츰 불안과 같아졌다. 자리를 바꿀까. 그러나 의미 없는 일이었다. 20~30분 후면 좌석이 전부 들어찰 것이고 그러면 출입구를 바라보느냐 등지느냐 하는 것은 의미가 없을 것이다. 아침 햇빛에 형광등이 제 빛을 잃듯 의미들은 그렇게 시시각각 변하게 마련이었다.

도형은 광대뼈가 도드라진 사내의 마른 얼굴을 힐긋 바라보았다. 꽤 진행된 탈모와 달리 진한 흑발 때문에 나이를 짐작하기 어려웠다. 구릿빛 피부가 도서관과 안 어울렸다. 빨강과 노랑, 자주색으로 삼등분된 그의 얇은 비닐 배낭은 터무니없이 컸다. 잘 익은 김치 조각이 곁들인 도시락과 반쯤 남은 막걸리 병, 낡은 작업용 장갑과 땀에 전 수건들로 가득 차 있을 것 같은 조야한 배낭이었다. 망치나 톱, 혹은 피 묻은 쇠파이프나 잘 벼린 칼을 싼 검정 비닐종이와 노끈 다발 따위가 들어 있을지도 몰랐다.

도형은 사내의 까만 눈과 마주치자 곧장 그런 상상을 지웠다. 뜻밖에 사내의 눈은 머루를 떠올리게 했다. 도형은 마음 어딘가가 조금 이완되는 걸 느꼈다. 그저 도서관을 찾아든 것일 수도 있었다. 공사장으로 가는 발걸음이 유난히 더딘 오늘 아침, 자신도 모르게 얼쩡거리다가 들어선 곳이 그만 도서관이었을지도. 마치 불빛을 보고 잘못 찾아든 나방처럼. 그렇기에는 또 그의 철 지난 신발이 걸렸다. 그는 아직까지 검정 여름 샌들을 신고 있었다.

놀랍게도 사내는 튼튼해 보이는 원목 책받침과 두툼한 책들을 가방에서 쏟아냈다. 도형은 이쯤에서 사내에 대한 관심과 편견을 멈추기로 했다. 타인에 대한 애정 없는 호기심은 때때로 치명적인 가해가 될 수도 있다는 것을 그 스스로 잘 알고 있었다.

─미안하구나, 너 성공한 것 보고 싶었는데.

책을 꺼내 드는 도형에게 낯익은 음성이 들렸다. 도형이 달려갔을 때, 이미 어머니의 얼굴은 하얀 시트 같았다. 눈과 입은 견고히 닫혀 그의 울부짖음에 답하지 않았지만, 어머니의 얇은 입술에 머문 그 음성만은 들을 수 있었다. 그것은 미처 남겨 주지 못한 유언처럼 수시로 그의 귓가에 맴돌았다.

낡고 닳은 수험용 책들을 도형은 물끄러미 내려다보았다. 성공이라니, 인생에서 성공이 있을까. 당신이 없는 한, 당신이 규정지은 성공은 이 세상에 없을 것이다. 죽은 자는 기뻐할 수도 없으리.

–엄마를 최고로 기쁘게 해 줄게.

허튼 맹세였다. 오래전에, 이미 어머니의 죽음 이전에 균열이 간, 공허한 맹세였다. 도형은 책을 펼쳐 들 엄두가 나지 않았다. 한 세월을 흘려보내고 돌아온 기분이 들었다. 적응 시간이 필요했다.

2

멀리 서 있는 산은 항상 유혹적이었다. 다가갈 수 없는 청산. 그저 바라만 볼 수 있어도 좋은 산. 도서관 옥상 벤치에 앉으면 정면으로 바라보이는 청정산 입석대가 그랬다. 삶도 저 산처럼 바라만 봐도 되는 것이라면. 도형은 손에 들린 종이컵을 우그러뜨리며 깊은 숨을 토해냈다.

세상에 적응하고 싶은 생각이 없었잖아? 도형은 물었다. 솔직한 자문이었다. 이제는 삶의 이쪽과 저쪽, 양 진영에서 버팅기지 않아도 된다는 생각이 들었다. 삶을 한 발짝 비켜서서 구경이나 하고 싶었다. 나는 지금 모든 것을 과거로 내던지려 하는가? 당분간은 이런 혼돈도 용서할 만한 것이다. 도형은 자기 자신을 격려했다. 낡지만 쉴 수 있는 시골집이 있고, 무엇보다도 어머니의 보험금은 그럭저럭 힘이 될 것이다.

지금쯤 편안하실까. 개미 떼, 송장벌레, 무수한 벌레들에게 파먹히고 있을 어머니. 피와 살은 녹아나 초목들을 적시고, 흙과 어우러져 바쁘게 해체되고 있을 그리운 어머니. 초등학교 들어갈 때까지 도형은 어머니의 젖꼭지를 물고 잤다. 더 이상 젖을 더듬거릴 수 없게 되었을 때, 일찍이 어머니의 담배를 훔쳐 피우곤 했다.

도형은 저도 모르게 호주머니에서 담배를 꺼내들었다가 멈칫했다. 줄담배를 피우고 올라온 지 얼마 되지 않았다. 건물 밖으로 다시 나갈 일도 귀찮았다. 그때 누군가 바싹 다가들었다.

─한 대만 빌립시다.

검정 샌들의 사내였다. 도형이 얼떨결에 담배를 갑째 내밀자 사내는 동시에 제 라이터에 불을 붙였다.

─여기서 태우시려고요?

사내는 벌써 한 모금 길게 들이켰다. 도형은 금연스티커를 가리키려다가 그만두었다. 바닥에 필터까지 바짝 태운 꽁초들이 몇 개 눈에 띄었다. 이 옥상에서는 과태료 10만 원을 물린다는 경고문보다 'CAUTION 난간추락주의' 표식이 아직 더 강력한 것 같았다. 도형도 한 대 물고 싶었다.

─오, 얼마 만인지. 담배라면 이 레드가 최고지, 최고.

뾰족한 턱과 가는 어깨, 전체적으로 마른 사내의 몸피가 일시에 들썩거렸다. 사내는 온몸으로 담배를 피우고 있었다. 도형은 이 세상에서 가장 담배를 맛있게 피우는 사람을 보고 있는 기분이 들었다. 순간의 일별이었지만 사내를 다 알아버린 느낌이 들었다. 세상에서 한 발 비켜선 사람. 사내야말로 그런 인물이었다.

땀과 땟국에 전 곱슬머리가 사내의 눈썹 위로 흘러내리고 있었다. 도형은 그 머리칼을 쓸어 올려 주고 싶었다. 사내가 예의 그까만 머루 눈으로 도형을 향해 환히 웃어 보였다.

－답례로 내 공짜 사주 한 번 봐 드리겠수다. 아, 뭣하면 관상만 봐 드리지요.

도형이 금방이라도 가 버릴까 사내는 두려워하는 기색이었다.

－서른셋이라. 조실부모, 사고무친. 외로울 고孤가 들어 있지만 운만은 짱짱하게 타고 났습니다그려. 관운이 있어요, 관운이. 가만 있자, 여기서 무슨 공불하시오?

말이 길어질 것 같았다. 도형은 사내의 흰소리에 그만 일어났다. 사내가 새로 담배에 불을 붙였고, 도형은 다시 머뭇거렸다. 담배가 아직 사내의 손에서 돌아오지 않았다. 아니, 도형은 사내의 눈에서 자신을 필요로 하는 어떤 갈급증을 봐 버렸다.

뭐야, 버젓이? 흡연을 비난하는 소리가 들려왔다. 청년 둘이 캔 음료를 소리 나게 들이켰다. 도형은 잠깐 긴장했다. 다행히 그들은 더 이상 문제 삼지 않고 가 버렸다. 사내가 목을 가다듬으며 속삭였다. 눈에서 광채가 났다.

－사실 말이오. 내가 지난 20년 동안 이 짓으로 밥 벌어 먹었지만, 사주 따위가 무슨 소용이란 말이요? 아니, 사주팔자를 우리가 거스를 수는 없소. 허나 또 꼭 그런 것만이 아니라는 것이 이 오묘한 우주의 재미란 말이오. 내가 말이오, 천기를 누설할 수는 없지만, 그러니까 음, 난 꼭 거역해 보고 싶은 게 있단 말이오,

프, 프로메테우스가 우리 인류에게 불을 가져다준 것이 제1의 반역이라면, 제2의, 제3의 반역은 뭣일 거 같소? 우린 말이오, 반역의, 반역의, 또 반역의 자식들이란 말이오. 그래서 내가 그쪽에게만 은밀히 제안할 것이 있는데 말이오….

─다, 다음에 듣기로 하죠.

도형은 사내의 횡설수설에서 빠져나왔다. 사내가 실망 어린 눈빛을 지어 보였다. 도형은 천천히 계단을 밟았다. 등 너머로 격렬히 흔들리는 사내의 눈빛이 느껴졌다. 열람실로 돌아가는 대신 도형은 두 층을 더 걸어 내려갔다.

5층 간행물실은 텅 비어 있었다. 소년 하나만이 예닐곱 권의 책을 쌓아 놓고 열심히 고개를 주억거리고 있었다. 형광 빛이 나는 주황색 티셔츠를 입은 그 소년은 열댓 살쯤 되어 보였다. 빙긋 웃다가 이마를 찡그리다가 다시 무표정하기를 반복하면서 연신 책장을 넘기는 동작이 눈에 띄었다. 뭔가 낯익은 느낌이 들었다. 소년을 바라보는 도형의 눈매가 가늘게 접혀 들었다. 소년의 이마 너머로 한 아이가 제 그림자를 늘어뜨리고 서 있었다.

─선생님, 사람은 왜 사나요?

─안 죽어지니까 살지.

책상에서 얼굴을 들지도 않은 채 담임 선생은 대답했다.

─왜, 넌 지금 그 자리에서 죽으라면 죽겠니?

담임은 초등학교 4학년 남자아이가 피아노 뒤 모서리에 숨어 가까스로 내놓은 질문에 그렇게 되묻기까지 했다. 담임은 합창부지도 선생이었고, 교실엔 그랜드 피아노가 칠판 옆에 비스듬히 세워져 있었다. 아이는 복도 창을 통해 6학년 누나들의 합창연습을 구경하곤 했다. 잠시 스치기만 해도 농익은 복숭아 향을 풍기던 선생님. 허공을 가르며 지휘하는 담임의 두 팔은 봄날 배추밭에서 날아오르는 노랑나비의 날갯짓처럼 황홀했다. 그런데 안 죽어지니까 산다니. 맹세코 선생님은 실수한 거였다.

플라타너스 그림자가 출렁거리는 땅거미 진 운동장을 걸어 나오면서, 아이는 뭔가 몹시 억울했다. 그래요, 죽을 수 있어요. 당장 죽을 수 있다고요. 그렇게 대답하지 못한 것이 억울했다. 그렇게 당당히 답변해 주었더라면 어땠을까. 그래? 그럼 지금 그 자리에서 죽어 볼래? 담임은 눈 하나 깜짝 않고 그렇게 대답하고 남았으리라.

도형은 열한 살 때 이미 이길 수 없는 게임을 알아차렸던 것이다.

소년은 1초 간격으로 책장을 넘겼다. 책갈피에서 뭔가를 급히 찾는 맹렬한 기세였다. 정확히 여섯 장째에는 손가락에 침을 발랐다. 페이지를 넘길 때마다 머리로 장단까지 맞춰대는 통에 지켜보는 도형은 신경이 곤두섰다. 책상 위에 놓인 책들을 힐긋 보았다. 『사자死者와의 계약』 1, 2권과 『모래 속에서』, 『동양철학의 해부』, 『과학의, 인간의 미래』 따위였다. 사이사이 소년은 대학노트 크기의 백지에 뭔가를 속기하곤 했다.

소년이 벌떡 일어나자, 도형은 저도 모르게 움찔했다. 이번에는 '신착도서'라는 노란 표지판이 붙은 서가 쪽으로 성큼 다가가더니 곧장 책을 한 아름 뽑아 들고 왔다. 무작위로 책을 읽어 대는 것이 틀림없었다. 거대한 초식공룡이 초원의 온갖 식물을 휩쓸어 버리고는 마침내 아사하는 장면이 떠올랐다. 터무니없는 연상이었다.

시간이 촉박한 것인지, 소년의 손놀림과 고갯짓이 더욱 빨라졌다. 탄력을 받아 한 권이 끝날 때까지는 그 동작을 멈출 수 없는 것처럼 보였다. 정말 읽는 것인가, 도형은 소년에게서 눈을 떼지 못했다. 녀석은 페이지를 넘길 때마다 고개를 까닥거리거나 얼굴 표정을 변화시킴으로써 도형의 의구심을 일축시켰다. 도형은 소년의 가는 손가락과 긴 손톱, 그 손톱에 박힌 반달 모양의 흰 반점까지를 노골적으로 바라보았다.

소년이 일순간 멈췄다. 둘의 시선이 허공에서 엉겨 부딪쳤다. 흰자위가 많은 소년의 눈빛은 섬뜩했다. 중학교나 졸업했을까. 소년의 기묘한 눈빛에 쫓겨 도형은 슬그머니 고개를 돌렸다.

열람실로 돌아왔을 때, 대각선 자리는 아직 비어 있었다. 사내는 돌아올 줄 몰랐다. 도형은 낡고 닳아 두툼하게 부풀려진 책을 가방에 집어넣었다. 대신 간행물실에서 빌린 코로와드의 저서 『사후의 세계』를 펼쳐 들었다. '죽음'이란 단어만 보아도 어머니의 향기가 묻어나는 것 같았다. 어쩌면 어머니는 아직 바르도에 머문 채 아들을 지켜보고 있는 것인지 몰랐다.

도형은 창밖으로 고개를 돌렸다. 새로 난 터널이 잘 단장된 봉분을 연상시켰다. 산허리를 자르고 들어앉은 두 개의 아치형 굴 입구의 하얀 외벽이 남은 석양빛에 반사되어 눈부셨다. 새로 깐 아스팔트 위 흰 점선과 노란 실선들도 자신의 새로운 존재를 증거하고 싶다는 듯 반짝거렸다.

터널 오른쪽 숲은 신축 중인 고급 빌라들 때문에 붉은 내장을 드러낸 짐승처럼 파헤쳐져 있었다. 한 사내가 20층 외벽 위에서 줄을 타고 있었고, 다른 인부들은 철수 준비를 서둘고 있었다. 도형은 지는 노을을 잠시 바라보다 엉거주춤 일어났다. 당장 검붉은 노을 속으로 걸어 나갈 이유는 없었지만, 도서관에 더 있어야 할 이유도 없었다.

3

조금 변화를 가져도 좋았을 것이다. 어느 정도 일탈의 시간이 필요하다는 것을 도형은 어렴풋이 자각했다. 그러나 그는 오늘도 자동화된 로봇처럼 도서관으로 돌아오고 말았다. 여행이라도 떠나든지, 낡은 원룸을 옮기든지, 자동차라도 하나 뽑아야겠다는 현실적인 생각은 집 앞 버스승강장에서 108번 시내버스를 보자마자 가뭇없이 사라졌다. 정은이 잠깐 떠올랐지만 만나고 싶은 생각 또한 곧장 사라졌다.

도서관은 그에게 편안한 동굴이었다. 어머니의 죽음을 애도하기에 이보다 더 적합한 공간이 또 있을까. 신간이 쏟아져 들어오고 디지털 정보실이 활발하게 가동되고 있어도 어쩐지 도서관은 세상과 한 발짝 비켜선 장소 같았다. 고서와 죽은 이의 먼지가 둥둥 떠다니고, 과거와 미래가 뒤섞여 공존하는 도서관은 확실히 또 하나의 공동묘지였다.

조심스럽게 열람실 문을 밀었을 때, 도형은 제 자리가 없다는 것을 한눈에 알아봤다. 출입구를 향한 맨 구석 자리는 사내가 차지하고 있었다. 도형은 멈칫했다. 자리 좀 바꿀 수 있을까요? 마음과 달리 어정쩡하게 어제의 구도로 자리를 잡고 말았다. 굳이 사내의 옆을 고집할 이유는 없었지만, 어제와 같은 자리에 천천히 앉았다.

가방을 책상 위에 올려놓은 채 도형은 망연히 창밖을 바라봤다. 오늘도 인부 하나가 아파트 외벽에 달라붙어 있었다. 안전모를 쓴 인부의 모습은 한 마리 거미 같았다. 그새 꼭대기 층은 흰색으로 페인트칠이 되어 있었다. 대롱대롱 줄에 매달려 흔들리는 인부 곁에는 커다란 정사각형 휘장이 펄럭이고 있었다. '♩♪♪ 내 삶의 반올림'. 옥상에서 늘어뜨려 놓은 그 하얀 휘장에는 굵고 선명한 고딕체로 음표와 함께 그렇게 쓰여 있었다.

저 아파트에 입주만 하면 곧장 삶이 반올림된다는 말일까. 위태롭게 흔들리고 있는 저 인부의 삶도 덩달아 랄라라, 반올림 될 수 있을까. 도형은 잠깐 엉뚱한 생각에 사로잡혔다. 줄을 끊으면…. 거미같이 매달린 저 사내는 5, 6층 간격으로 둘러쳐진 푸른 안전그물망 위에서 스카이콩콩을 타듯 튀어 오를까…. 나도 풍덩 뛰어내리면, 어느새 우린 저 안전그물망 안에서 흔들리다 함께 잠이….

도형은 서둘러 가방을 열었다. 책을 꺼내 드는 두툼한 제 두 손이 의수처럼 낯설었다. 부풀어 오른 손가락과 손등, 팔목…. 도형은 제 몸조차 낯설게 느껴졌다. 지난 초여름 어느 날, 도형은 도로변에서 풀썩 쓰러졌다. 일찍 찾아온 더위 속에 달콤한 참외 향이 붉은 토마토와 함께 어우러져 녹아내리는 한낮이었다. 시장 모퉁이를 도는데 발목이 제 풀에 스르르 꺾였다. 고도비만이라는 의사의 진단 이후 그는 자주 굶었지만 살은 좀체 빠지지 않았다.

아, 가벼워질 수만 있다면. 도형은 한숨을 쉬었다. 언제 왔는지 주황색 셔츠의 소년이 도형 앞에 서 있었다. 소년은 사내 옆자리로 파고들듯 앉았다. 아직 빈자리는 많았다. 그런데도 사내의 옆 좌석을, 그것도 몰듯이 바투 다가가 앉았다. 불편하면 당신이 자리를 옮기라는 사뭇 고압적인 태도였다. 사내가 움찔하며 책을 벽면으로 당겼다.

신경과민이야. 도형은 두 손으로 목덜미를 주물렀다. 이제 시험공부는 그와 무관해져 갔다. 도서관에서 보낸 청춘, 그 청춘은 어머니와 함께 사라지고 있었다. 도형은 다시 그들을 주시했다.

고개 숙인 사내의 얼굴이 붉어졌다. 소년은 빙긋빙긋 웃었다. 마침내 사내가 책을 신경질적으로 덮었다. 그 순간, 두 사람 사이에 팽팽한 긴장이 흘렀다. 도형은 저도 모르게 침을 꿀꺽 삼켰다.

내가 일어서야 하는 것은 아닐까, 어제 사내에게서 듣지 못한 이야기를 마저 청해 볼까, 도형이 망설이는 사이에 두 사람은 동시에 일어났다. 둘은 약속한 것처럼 나란히 열람실을 빠져나갔다. 도형은 빈 두 좌석과 흰 벽면을 멍하니 바라보았다.

열람실 전체가 텅 빈 느낌이 들기 시작했다.

저녁이 되어도 두 사람은 나타나지 않았다. 도형은 간행물실, 정보실, 어린이 열람실까지 기웃거리며 오후를 보냈다. 어쩐지 그들 두 사람이 도서관을 빠져나갔으리라고는 생각되지 않았다. 그러나 밤이 되어도 두 사람은 돌아올 줄 몰랐다.

10시가 되자 사람들이 모두 빠져나갔다. 도형은 마지막으로 열람실을 나왔다. 노랗고 빨간 비닐 배낭만이 홀쭉해진 채 의자 등받이에 걸쳐 있었다. 도서관 당직 직원이 소등을 하자 숨어 있던 어둠이 오소소 돌아났다.

4

도서관 문이 열리자마자 도형은 가장 먼저 열람실로 들어섰다. 그의 발자국 소리에 저항하듯 실내 공기가 심하게 흔들렸다. 도형은 안쪽 깊숙한 곳, 자신의 자리를 눈으로 찾았다. 아니, 이제는 사내의 좌석이 되어 있을 거였다. 엊그제 가방까지 놓고 갔던 것이 아닌가. 그런데 그의 자리는 깨끗했다.

도형은 그 자리에 앉지 않았다. 어쩐지 그 자리는 이미 그의 것이 아니라는 생각이 들었다. 사내가 앉을 자리를 남겨 두고 오늘도 대각선으로 앉았다.

사내를 기다렸다. 나타나지 않았다.

도형은 간행물실로 내려가 잡지를 뒤적거렸다. 활자가 눈에 들어오지 않았다. 4층 정보실로 들어가 컴퓨터 앞에서 두 시간을 보낸 그는 지하 매점으로 내려갔다. 햄버거 두 개를 우적우적 먹어 치운 다음 천천히 도서관 밖 편의점으로 걸어 나갔다. 담배 두 갑을 각각 호주머니에 찔러 넣었다. 사내의 몫까지였다.

오늘 오지 않을 것인가. 도형은 도서관 옆 가로수 밑에 서서 담배를 피워 물며 생각했다. 나는 왜 그를 기다리는 것인가. 도서관에서 나온 몇몇 무리들도 오종종 나무 아래에 서서 담배 연기를 내뿜고 있었다. 도로변에 덜렁 세워진 구립 도서관은 야외 벤치 하나 없었다. 길 가는 사람들의 눈치를 보아 가며 서둘러 담배를 끄고 도서관으로 들어가는 청춘들의 뒷모습을 도형은 물끄러미 바라봤다. 레드를 맛있게 피우던 머루 눈의 사내, 그는 오지 않을 것인가.

도형은 느릿느릿 옥상 로비로 향했다.

우뚝 솟은 청정산 정상을 바라보며 서 있자니 몸이 무중력으로 둥둥 떠오르는 기분이 들었다. 그렇게 산은 그를 부르는 것 같았다. 가을 기운이 감도는 바람은 알맞게 서늘했다. 해가 일찍 떨어지려는지 산자락에 벌써 노을기가 번지고 있었다.

　도형은 벤치에 앉았다. 아무도 없는 틈을 타서 담배에 불을 붙였다. 옥상 문이 열리는 소리와 동시에 여자애들의 재잘거림이 들려왔다. 도형은 한 모금 빨다 말고 얼른 비벼 껐다.

　그제 밤 여기서 사람이 떨어졌대. 정말? 어쩌다가? 그 사람 있잖아. 조금 이상한, 맛이 좀 간 아저씨. 철 지난 샌들에… 아, 그 알록달록 배낭? 어제 정기휴관이었는데도 전 직원 비상소집했다나. 자살이야? 당근. 하필 죽을 데 없어 여기서 죽는다니?

　'알록달록 배낭'으로 통하는 사내의 소식을 도형은 그렇게 들었다. 믿지 못할 것도 없었다. 언제부턴가 투신자살은 새로운 뉴스가 되지 못했다. 익숙하다 못해 낡고 흔한 이야깃거리였다. 도형은 잠시 얼어붙은 채 청정산을 뚫어지게 바라보았다. 사내 말에 더 귀기울여 주었더라면. 그에게서 어떤 절박함을 감지하지 않았던가.

　어둠이 깊게 내릴 때까지 도형은 그대로 옥상 벤치에 붙박였다. 주인 없는 담배 한 갑을 그는 오래도록 호주머니 속에서 만지작거렸다. 도서관 관리 직원으로부터 귀가 주의를 받고 일어날 때 제 몫의 담뱃갑은 이미 구겨진 지 오래였다. 속이 쓰렸다. 입술이 하루 만에 바싹 탔다.

　정말 떠나야겠어. 도형은 옆 사람에게 말하듯 중얼거렸다.

5

갈 곳이 없다. 갈 곳이 없다는 말은 할 일이 없다는 말과 같다. 도형에게는 그랬다. 돈이 꽤 생겼지만, 도형은 여전히 세상 밖으로 나갈 수가 없었다. 세상에 비켜서서, 구경하는 삶이라도 살 수 있겠거니 생각해 봤지만 그것마저 시들했다. 무엇을 구경할 것이며 왜 그래야 하는가. 보상금이 든 통장을 손에 든 채 도형은 오래 생각하고 또 생각했다. 무얼 하기에도 부적절한 돈 같았다. 그는 이 난국을 헤쳐 나갈 자신이 없었다. 상의할 친구도 사촌형도 없다는 사실에 조금 외로웠다.

정은이 떠올랐다. 그녀가 곁에 있었다면 상황이 달라졌을까. 분홍 플란넬 원피스를 입은 마지막 모습이 눈에 선했다. 정은은 불러 온 배에 손을 얹으며 말했다. 나, 행복하거든. 그러니까 너도 잘 살아. 정신차리라구! 그때 그녀의 말은 결코 그녀답지 않았다. 그러나 시간이 흐를수록 그 말이야말로 그녀를 그녀답게 만들었다는 걸 알았다. 놀라웠다. 어떻게 말이 사람을 변하게 하는 걸까? 행복하다고 말함으로써 그녀는 행복한 사람이 되었다. 말이 사람을 만들고 조종했다. 도형은 아직도 그렇게 믿었다.

그녀는 돌아오지 않는다. 모든 것이 변해도 그 사실만큼은 변하지 않을 것이다. 어머니가 살아 돌아올 일 없듯이. 그런데, 어머니의 유산을 그렇게 써 버려도 괜찮을까. 어머니의 뜻은 분명 나의 안위였을 것인데?

해가 중천에 떠서야 도형은 느릿느릿 침대에서 일어났다. 배속이 느글거렸다. 1.5리터 페트병에 반쯤 담긴 콜라만 들이켰을 뿐, 아무것도 먹지 않았다. 평소의 식욕이 전혀 일지 않았다. 냉장고를 열어 둔 채 멍하니 들여다본 그는 한참 만에야 냉장고 문을 닫았다. 친숙한 동반자와의 작별인사처럼 그는 자꾸 머뭇거렸다.

가슴에 잔잔한 파문이 일었다. 오랜만에 들은 정은의 음성은 은종 소리 같았다. 도형은 낡은 휴대폰을 만지작거렸다. 아무 일도 손에 잡히지 않았다. 가슴속의 잔물결은 시간이 흐를수록 더 요동쳤다. 약속시간이 한참 남았지만 도형은 결국 집을 나섰다.

'짐 가진 자 다 내게로 오라' 현수막을 바라보던 도형은 천천히 성당으로 향했다. 이상한 일이었다. 성당은커녕 교회 한 번 가본 적 없는 그였다. 수년 동안 매일같이 보아 온 성당의 십자가는 그저 제 동네를 알려 주는 도로표지판에 불과했다.

아름드리 은행나무가 일찍 잎을 떨구고 있었다. 한여름엔 다투어 피었을 장미넝쿨이 아직 푸른 잎을 싱싱하게 곧추세운 채 성모상을 호위하고 있었다. 성당 뜰은 단정했고 1세기는 넘겼음직한 성당의 빨간 벽돌건물을 담쟁이들이 성성하게 기어오르고 있었다.

너희에게 내 평화를 주고 가노라. 도형은 문밖에 서서 들었다. 둔중한 문을 차마 열고 들어가지 못한 그는, 완전히 여며지지 않은 문과 문의 틈새로 본당에서 벌어지는 광경을 홀린 듯 바라보았다. 고요하면서도 힘 있는 사제의 음성, 청동으로 만들어진 예

수 십자가, 흰 미사포를 쓴 여자들과 진지한 표정의 남자들, 그 위로 높은 천정에서 매달려 내려온 은종 같은 수십 개의 조명등이 은은하게 빛을 뿌리고 있었다. 경건하고 엄숙한 분위기 속에 뭔가 당당한 저들. 신 앞에 고개 숙이지만 그들은 뭔가 자신 있어 보였다. 이 성찬에 초대받은 이는 복되리라….

도형은 천천히 고개를 돌렸다. 나를 버리시나이까. 어디선가 낯익은 절규가 들려왔다. 잿더미에 앉아 토기 조각으로 뜩뜩 피가 나게 긁어 대는 사내가 보였다. 목을 맨 누군가의 형상이 그 옆에 불쑥 다가섰다. 내가 왜 이러는 거지? 도형의 얼굴은 울 듯 일그러지기 시작했다. 우리와 함께 주여 머무르십시오, 식탁에 같이 앉아 빵을 나눕시다…. 그 성찬에 끼고 싶다는 허기증이 달려들었다. 그러나 낯선, 저들만의 노랫가락이었다. 도형은 쫓기듯 허청거리며 계단을 내려왔다.

아, 난 너무 늦었어, 저도 모를 소리가 입에서 새어 나왔다. 도형은 걸음을 서둘렀다. 성당을 빠져나와 도로 한복판에 우뚝 서고서야 그는 안도감을 느꼈다. 옷이 땀으로 젖어 있었다.

도형이 애써 미소를 지었다. 정은의 허리가 잘록했다.

–딸. 지금 세 살이야.

–아, 벌써…. 널 닮았으면 아주 예쁘겠다.

–모든 애들은 둘 중 하나야, 예쁘거나 귀엽거나.

–아하, 그러나?

도형에게 정은은 여전히 예뻤다. 보풀이 인 빛바랜 연두색 카디건을 걸친 그녀 모습은 옛날의 당찬 정은이 아니었지만, 그에게는 오직 하나뿐인 연인이었다. 헤어지지 않았다면, 그도 아빠가 되었을 것이다. 준비되지 않은 아빠, 무책임한 아빠. 도형은 정은을 떠나보내길 잘했다는 생각을 다시 했다.

－엄청 몸이 났네. 아직도 도서관에만 박혀 있는 거야?

도형은 두서없이 제 이야기를 꺼냈다. 정은이 입가를 말아 올렸다. 울음을 참느라 입술을 비죽거리는 것처럼 보였다. 연락 좀 미리 하지 그랬어? 뭐, 경황이. 발인에라도. 설마. 어머니께 너무 죄송하다…. 대화가 툭툭 끊겼다. 가닥을 잡을 수 없는 해후였다.

－이거, 네 딸한테 주는 선물. 받아 주라.

도형은 마침내 통장이 담긴 흰 봉투를 정은에게 내밀었다.

－내가 이걸 왜 받아야해?

도형의 눈가가 일시에 흐려졌다. 정은이 다른 남자와 만난다고 말했을 때, 도형은 안도했다. 홀가분했다. 그러나 결별 후, 도형은 몸무게가 늘기 시작했다. 삶이란 원래 무거운 것이란 걸 일깨우려는 듯.

－너, 무슨 생각하는 거야?

－생각은 무슨. 좋은 일 좀 하고 싶어서지.

모든 걸 다시 시작하고 싶어. 오다가 성당엘 들렀는데 말이지, 너무 늦었지? 아무래도 나 너무 늦은 거지? 도형은 침을 꿀꺽 삼켰다. 말로 부화되지 못한 것들이 검은 인후 속에 갇혀 헐

떡거렸다.

–미친! 정신 차려, 박도형!

도형은 귀까지 얼굴이 달아올랐다.

–애 때문에 지금 가야 해.

조금만 더, 그러니까 그 옛날처럼 생맥주 한 잔만 함께 마실 순 없을까? 아니, 네가 오늘 늦었던 15분만, 딱 그만큼만 더 머물러 준다면. 그러나 도형은 아무 말도 못하고 따라 일어섰다.

정은은 총총히 사라져 갔다. 그녀가 시야에서 완전히 사라지고 나서도 도형은 오래도록 멈춰 섰다. 여전히 얼굴이 달아올랐다. 두 손이 부끄러웠다. 어디서부터 잘못된 것일까? 이제 어디로 간다? 하늘은 맑고 푸르렀다. 노랗게 물들기 시작한 가로수 나뭇가지들이 비상하려는 듯 저마다 허공을 향해 파득거리고 있었다. 파란 불이 다시 빨간 불로 바뀌고서야 도형은 신호등을 바라보았다.

태엽이 풀리는 대로 움직이는 자동인형처럼 그의 몸은 도서관을 향해 움직였다. 여전히 속이 메스꺼웠다. 머릿속까지 윙윙 흔들리기 시작했다. 멀리서 낯익은 건물이 형체를 드러내기 시작했다. 지상 7층 신축도서관의 아치형 옥상이 보이는 순간, 도형의 눈에 눈물이 물컹하게 솟구쳤다. 결국 여기로군. 당분간 더 도서관을 찾아야 한다는 생각이 들었다. 사내에 대한 예의로, 무엇보다도 자신의 행로를 모색할 때까지는.

6

열람실에 들어섰을 때, 도형은 어머니상을 치르고 처음 도서관에 왔을 때처럼 다시 생경스러웠다. 그 느낌은 반복된 것인데도 번번이 생생해서 당혹스러웠다. 확실히 도서관은 자신을 떠밀고 있었다. 결국 세상 밖으로 나아가야 할 것이었다.

놀랍게도 주황색 티셔츠 소년이 도형의 자리를, 아니 사내의 자리를 차지하고 있었다. 'Death of-' 라는 타이틀이 슬쩍 보였다. 속독법이 통하지 않는지 소년의 시선은 같은 페이지에 붙박여 있다. 도형은 망설임 없이 소년 곁에 앉았다. 바투 앉아 소년을 밀어붙였다. 소년이 인상을 찌푸렸다. 도형은 의자를 마저 움직여 소년에게 더 바짝 붙였다. 왠지 비긋이 웃음이 나왔다.

소년이 신경질적으로 일어섰고, 도형도 따라나섰다.

옥상 로비에는 아무도 없었다. 뭉게구름만 우주의 무한궤도를 일깨우려는 듯 그들을 내려다보고 있었다. 청명한 초가을 하늘 아래 드러난 소년은 의외로 어리지 않았다. 애늙은이의 얼굴이었다. 잔뜩 찌푸려진 이마며 주글주글한 얼굴 피부는 어쩌면 도형 자신보다 더 나이 먹은 것이 아닐까 혼돈스러울 정도였다. 소년은 지쳐 보였다.

ㅡ너지? 바로 너, 너야!

이 돌연한 외침에 놀란 것은 오히려 도형 자신이었다. 몸 안에서 무언가가 맹렬하게 밖으로 튕겨 나왔고, 그것은 순간 그의 정신을 혼미하게 맴돌다 사라졌다. 소년은 태연했다.

　─그래요, 내가 밀었어요. 바로 이 지점에서요. 내가 자백했는데도 경찰은 믿질 않아요. 아무런 지문도 발견되지 않았다는 거예요. 재미있죠? 내 말을 믿지 않다니요, 누가 미친 건지 모르겠다니까여.

　─왜! 왜 그랬지?

　─내 자리를 그가 차지했어요. 그 자린 내 자리였거든요.

　─뭐라고? 거짓말! 그건 내가 줄곧 앉았던 자린데, 언제부터 네 자리였다는 거지?

　─처음부터요. 맨 처음 이 도서관 개관할 때부터요.

　─거짓말! 그럴 리가 없어. 그 자린 내 자리였으니깐. 너 거짓말쟁이구나. 아니 넌 미쳤어. 넌 그 사람을 밀지도 않았어!

　─그가 그렇게 해 달랬어요. 뛰어내릴 자신이 없다고. 그는 매일 죽으러 도서관엘 오는 거라고. 이젠 너무 지쳤다고. 한 번만 도와 달랬어요.

　─그래서, 정말 그를 밀었단 말야?

　─아저씨, 사람들이 왜 그렇게 투신하는지 아세요? 날고 싶어서요. 비상하고 싶어 선택하는 방법이지요. 자기 자신의 주인이 되어 본 적이 없는 사람들, 그렇지만 한순간도 그 꿈을 버리지 못하는 사람들이 택하는 방법이라고요. 최후 단 한 번이라도 살아 보고 싶어서 말이죠. 진정으로 날고 싶다는 걸 전 이해할 수 있어요. 스스로 죽음을 입안하고 계획한다는 것, 멋지지 않아요? 삶

은 하이드비하인드 같은 괴물딱지여요. 그 괴물에게 잡아먹히기 전에, 먼저 취할 수 있는 유일한 방법이라고요.

도형은 소년의 뺨을 갈겼다.

—네가, 너 따위가 뭘 안다고!

소년이 코웃음을 쳤다. 얄따란 입술을 비틀어말며 속삭였다.

—단지 임계상황이었을 뿐이에요. 임계상태. 아주 사소한 자극에도 폭발할 수밖에 없는 지점 말이어요. 이제, 아저씨 차례죠? 도움을 청하세요. 자, 어서요.

—천만에, 넌 틀렸어!

도형은 소년을 후려쳤다. 소년은 말라깽이였다. 너무 가벼웠다. 언제라도 사라져 줄 수 있다고 시위하듯, 소년은 난간 밖으로 쉽게 고꾸라졌다. 도형이 한순간 정신을 차렸을 때, 소년은 한쪽 팔이 난간 기둥 사이에 낀 채 비틀거리고 있었다. 도형은 돌진했다. 온몸으로 소년을 끌어올려 난간 안으로 밀어놓았다.

엉덩방아를 찧은 소년은 얼굴을 일그러뜨렸다. 소년의 뾰족한 얼굴이 한순간 잘 벼린 은빛 칼날처럼 번쩍이며 달려들었다. 순식간에 목덜미를 잡힌 도형은 덩치에 어울리지 않게 버둥댔다. 소년의 악력은 무시무시했다. 한 번 문 것은 절대 내놓지 않는 사냥개 같았다. 소년은 손아귀를 풀지 않았다. 도형은 머릿속이 하얗게 표백되어 갔다. 답답했다. 가슴이 폭발할 듯 뜨거웠다. 있는 힘을 다해 소년을 몸에서 떼어냈다.

소년의 팔이 으드득 부러지는 소리가 났다. 목에 박힌 손톱들이 스르르 빠져나갔다. 바닥에 핏방울이 뚝뚝 떨어졌다. 도형은 주춤 뒤로 물러섰다. 한쪽 팔을 덜렁거리며 소년이 씨익 웃었다. 도형은 급히 몸을 돌렸다. 난간이 둔중한 그의 몸을 우뚝 막아섰다. 다시 몸을 돌린 도형은 허겁지겁 옥상을 가로질러 달리기 시작했다. 옥외비상계단을 타고 정신없이 질주해 내려갔다.

도서관 문밖에 서서 숨을 헐떡이며 고개를 들었을 때, 도형은 수많은 외팔이 소년들이 옥상 위에서 씨익 웃고 서 있는 것을 보았다.

미명 未名

1

벚꽃이 날린다. 분분히 날리는 그것들은 울긋불긋 나비 떼 같다. 햇빛은 미술관을 둘러싼 흰 벽마저 온통 황금빛으로 분칠하고 있다. 빛에 홀려 바라보던 여자는 저도 모르게 카디건을 여민다. 초봄의 숲 속 잔광은 눈부심과 달리 따사롭지가 않다. 여자는 미술관 옆 팽나무 아래에서 걸음을 멈춘다. 오늘도 계단 입구 한쪽 구석에 진돗개 한 마리가 석상처럼 앉아 있다. 그 늙은 개는 겨울 한 철 빼고는 거의 매일 미술관에 와서 지낸다고 했다. 무슨 사연이 있을까. 여자는 개의 눈빛을 예사롭게 넘기질 못한다. 영겁의 세월을 담은 두 눈. 짐승으로 태어난 슬픔과 함께 세상살이의 적막과 고독을 다 알아버린 듯한 저 눈빛. 개가 먼저 여자의 시선을 외면한다. 여자 또한 눈길을 거둔다. 그 순간, 의재 선생의 얼굴이 떠올랐다. 동시에 집에 있는 신선도의 노인이 떠올랐다. 여자는 결국 미봉美峯에서 생각이 멈춘다.

남자가 낡은 병풍을 집안으로 들여온 것은 지난 연말의 일이었다.

"얼른 받아들지 않고 뭐해?"

손질 중이던 배내옷을 그대로 던져둔 채 여자가 일어섰다. 얼떨결에 병풍을 받아 안았다. 원목으로 깐 새 거실 바닥이 지지직 긁혔다. 병풍 모서리의 경첩이 느슨하게 풀려 있었다. 여자는 병풍 한쪽을 열었다가 화급히 닫았다. 먼지가 일었다. 압화된 나방 두 마리가 파르라니 날아오를 것 같았다. 이마를 찌푸렸다.

"저 병풍, 어디서 난 거야?"

설거지를 마친 여자는 매일 그렇듯 아홉 시 저녁뉴스 앞에 앉았다. 3인용 등가구 소파에 나란히 앉아 텔레비전을 바라보는 두 사람을 두고 누군가는 십자매 한 쌍 같다고 했다. 아무려나. 아무 말을 하지 않아도 좋은, 혹은 무슨 말을 해도 상관없는 그 시간대가 여자는 좋았다.

두 사람은 TV에서 시선을 떼지 않았다. 수십만 마리의 닭을 매립하는 장면이 방영되고 있었다. 흰 방역복을 입은 무리들이 당장이라도 화면 밖으로 걸어 나와 거실 가득 독가스라도 살포할 분위기였다.

"자식처럼 애지중지 키웠는디…. 하루아침에 살처분해 매몰

하니께, 당체….”

양계농인의 시커먼 두 눈덩이에서는 당장이라도 눈물이 쏟아질 것 같았다. 여자는 슬그머니 자리에서 일어났다. 돌연 마음이 서늘해졌다. 이 순간이 아니라도 곧잘 온몸에 서늘한 기운이 엄습해 오곤 했다. 그럴 때면 가슴 저편에서 사각사각 도둑쥐들이 쏠아대는 소리가 들리면서 이내 후두두둑 가슴이 쓰리기 시작했다. 반듯하게 개켜진 배내옷 더미가 마침 새하얗게 빛났다. 여자는 옷바구니를 장롱 깊숙이 밀어 놓고 되돌아와 앉았다.

“저 먼지 좀 봐. 속을 들여다보고나 가져왔어? 나방이 덕지덕지 붙어 있는 걸…. 어쩔 셈이야?”

여자는 자신의 어조가 날카로워진 것을 느꼈다.

“어, 그 청년들 말야. 집값 대신 저걸 남겨 두었더라고.”

어쩐지. 코딱지만 한 집이라도 그렇게 처리하는 게 아니었다. 계약날에 약정액의 절반을 들고 사정해 왔을 때, 이게 아닌데 싶었다. 정작 중도금 지불 날짜가 되었을 때는 돈을 마련할 때까지만 월세로 살겠다고 다시 번복해 왔다. 그때 거절했어야 했다. 소년가장으로 자라났다는 젊은 형제는 이번에야말로 자신들만의 집을 꼭 소유해 보고 싶다 했다. 남편은 두 청년의 눈이 너무 맑고 진솔해 보여 거절할 수 없다며, 너무 야박하게 굴지 말자고 못을 박았다. 완불할 때까지 등기명의만 넘겨주지 않으면 된다며 매매계약서를 여자에게 건넸다. 새 집 융자를 마저 꺼 보려던 계획은 이제 한참 지지부진해질 거였다.

17평 주공아파트를 송두리째 넘겨받은 두 청년은 정작 반년째 월세마저 밀렸다. 정말 죄송합니다. 어떻게 해서라도 다음 달엔…. 청년의 통화는 매번 절박했고 공손했다. 그 사정조의 통화로 그럭저럭 넘겨 왔지만 지난달부터는 아예 소식이 끊겼다. 그들의 전화마저 사용 중지가 되어 있었다. 오늘 출장 뒤끝에 남편은 세 든 청년을 찾아간 모양이었다.

"나도 모르겠어. 저걸 왜 아무 생각 없이 가져왔는지. 뭐에 홀린 것 같았어. 고녀석들, 집구석 어디에다 저런 병풍을 모셔 놓고 살았던 건지. 우리가 물려준 커튼이며 식탁, 가스렌지, 살림살이가 하나도 안 변했더라고. 뭐에 홀린 기분이라니깐. 제 물건만 쏙 빼 간 모양이야. 제 놈들의 흔적은 하나도 남겨놓지 않았다니까."

망연한 표정을 짓던 남편은 벌떡 일어나더니 노란 쪽지 하나를 꺼내들었다.

'죄송합니다. 집값 대신 이 병풍을 받아 주십시오.'

노란 포스트잇이 병풍 상단에 붙어 있더란다. 남편은 웬일인지 그만 그걸 들고 나와 차에 실었다는 것. 눈에 잘 띄게 거실 중앙 벽면에 세워 둔 병풍을 그는 마치 당연히 그래야 하는 것처럼 끌어내 왔다는 것이다.

"또 모르지. 정말 값나가는 골동품일 수도?"

남편의 표정은 잠시 몽롱해졌다. 횡재가 굴러들 것 같은 막연한 기대감과 정체불명의 바깥 물건을 함부로 집안에 들여왔다는 꺼림칙함, 착하게만 보이던 두 청년들의 속사정에 대한 궁금증 등으로 그의 표정은 복잡했다. 여자는 물걸레를 챙겨 들었다. 해묵은 먼지가 유골 가루 같았다. 나방이 되지 못한 애벌레 몇 개를 마저 훔쳐내고 병풍을 펼쳤다. 텔레비전으로부터 시야를 차단당한 남편이 마지못해 일어났다.

"허, 참! 글씨 한번 멋있다."

앞면의 신선도는 보는 둥 마는 둥, 곧장 뒤로 돌아가서 하는 소리였다. 글씨라도 볼 줄 아는 사람처럼 한마디 내뱉은 것은 그냥 소파로 돌아가 앉기가 멋쩍어서일 것이다. 괜한 짓했나, 지레 부려 보는 너스레였다.

여자는 열 폭의 신선도를 찬찬히 들여다보았다. 누렇게 변색된 화폭은 오랜 세월을 품고 있었다. 화제시畫題詩는 흘려 쓴 서체여서 전혀 읽어낼 수 없었다. 두어 걸음 뒤로 물러섰다. 가만 보니 두 사람이었다. 흰 수염에 흰 머리의 사내와 검은 수염에 검은 머리. 두 사람이 병풍 한 면씩을 번갈아 차지하고 있었다. 여자는 병풍 뒤로 돌아갔다. 글씨 앞에 섰지만 역시 금방 읽기를 포기하고 남편 옆에 털썩 주저앉았다.

"저걸 어쩐다지?"

남편 또한 애당초 그 물건을 가져온 동기를 잊어버린 듯했다.

"일단 한쪽에 치워 두고 천천히 생각하자구."

2

아내는 또 외출이다. 식탁에 놓인 메모지를 발견한 남자의 미간이 잠시 흐려진다. '금방 돌아와 저녁 차릴게…' 이번엔 짐짓 성의를 부려 메모를 남기고 나갔다. 베란다엔 봄꽃들이 한창이지만 실내는 아직 겨울인 듯 어둡고 삭막하다. 실내 가득 고여 있는 어둠. 남자는 그것이 꼭 낡은 병풍 때문 같다. 한쪽 모퉁이에 다소곳이 세워져 있지만 그것은 집안 전체에 빛을 차단하고 음산한 기운을 퍼뜨리고 있다. 분명하다. 그 증거가 아내에게서 미소가 사라졌다는 것이다. 앙증맞은 배내옷을 들여다보며 손질하던 아내의 표정에는 꿈꾸는 듯한 미소가 어리곤 했었다.

요즘 아내는 배내옷 바구니를 꺼내들지 않았다. 대신 한밤중에도 컴퓨터 앞에 종종 앉아 있곤 했다. 혹은 병풍 앞에서 깊은 수렁에 잠긴 듯 멍한 표정을 지었다. 뭔가 석연찮았다.

남자는 담배를 입에 문다. 타들어 가는 손끝의 재처럼 모든 게 허망하다. 담배까지 끊었던 지난날들이 새삼 씁쓸하다. 둘 다 늦깎이 결혼으로 10여 년을 함께 살았다. 요즘처럼 아내가 멀게 느껴진 적이 없었다. 딱 한 번 생긴 아이는 배 속에서 석 달을 살다 갔다. 인연이 아니었다. 실망감은 생각보다 오래갔고, 주변에서는 입양을 권했다. 남자는 조금씩 마음의 준비를 했다. 그러나 아내가 먼저 꺼내야 할 이야기라고 생각했다. 그는 아내가 벼랑 끝에 몰린 짐승처럼 가여웠다.

아내는 집안에 소품처럼 붙박였던 여자였다. 그런 아내가 요즘 외출이 잦아졌다. 얼마 전 아내는 혼자 보성을 다녀왔다. 남자는 쓸데없는 물건을 집안에 들인 제 탓 같아 우울했다.

"도대체 거기까진 뭐 하러 갔어? 그렇게 가고 싶었으면 주말에 같이 가도 되잖아."

"그냥 설주 선생의 고향 마을까지만 다녀왔어. 복사꽃이랑 매화, 산수유…. 꽃구경했어."

아내는 그만 거기서 입을 다물었다. 얼굴에는 주름살이 부쩍 늘었다. 무얼 찾고 싶은 걸까. 엊그제는 목포를 다녀왔다고 했다. 목포라면, 남농 허건 선생을 찾았으리라. 아내의 행보는 마치 수맥을 찾아 움직이는 나무뿌리 같았다. 그 수맥이 쉽게 정체를 드러내지 않을 것 같아 남자는 점점 불안해졌다.

옷도 갈아입지 않은 채 남자는 창가에 세워 둔 병풍 앞으로 다가섰다.

"마치 문지기 같군. 좌청룡 우백호라."

검정 병풍은 맞은편 흰 에어컨과 쌍벽을 이루는 형세다. 흑백과 신구新舊의 대조가 확연히 부조화스럽다. 커튼 끈이 걸린 구석에 겨울 내내 세워졌던 병풍을 남자는 처음 발견한 것처럼 새삼스럽게 바라본다. 진작 내버려야 했는데….

보름 전쯤, 아내는 확실히 병풍을 없애려 했다. 비가 한차례 흩뿌리고 난 늦삼월의 오후 무렵이었다. 남자의 퇴근시간에 맞춰 아내가 혼자 병풍을 밖으로 끌어냈다.

"어쩌려고?"

그동안 남자는 병풍에 일체 관심을 보이지 않았다. 괜히 가져 왔다는 후회도 내심 있었다. 그걸 확인해서 어쩔 것인가. 일고의 가치도 없다고 판명되면 쓰레기 더미로 넘길 것인가. 젊은 애들 에게 속은 것인가. 혹, 값나가는 물건이라면 또 어쩔 것인가. 병 풍의 가치를 따져 들지 않았기에 그들을 찾으려고 애쓰지 않아도 되었다.

"언제까지 거실에 놔둘 수는 없잖아? 처분해야지, 뭐."

아내는 안전띠를 매며 뾰로통하게 대답했다.

마침 집 근처 농협 우측 모서리에 작은 표구점이 하나 있었다. 먼지 낀 유리문을 밀고 들어서자 주인 여자가 쪽방 문턱을 내려 서다 말고 고개를 치켜들었다. 실내는 각종 액자와 화구들로 어 수선해서, 병풍을 조금씩 펼쳐 보는 수밖에 없었다.

"어머, 신선도네. 비단에다 그렸군요. 그림 상태가 좋은 걸요. 하나도 훼손되지 않았어요. 미봉이라, 잘 모르겠지만 차암 좋다. 이런 인물화는 아무나 잘 그리지 못하는데, 좋군요. 이거 박물관 으로 가야 할 물건 같은데요?"

단숨에 말을 마친 주인 여자는 눈가로 흘러내린 머리카락을 손으로 쓸어 올렸다. 그러고는 또다시 반색했다.

"이거 설주 선생 글씨 아냐? 틀림없어요, 이거 보세요!"

병풍 뒤로 돌아선 주인 여자는 어느새 네모난 붉은 낙관에다 돋보기를 들이댔다.

"글씨가 이렇게 힘찬 걸 보면 젊은 시절에 쓰신 걸까? 설주 송운회 선생은 아주 오래 살다 가셨어요. 이제는 돌아가신 지 꽤 됐지만요."

귀밑머리가 하얀, 오십 줄 중턱의 주인 여자 얼굴이 환해지는 것을 남자는 경이롭게 바라봤다.

"이런 건 가보로 물리세요. 얼마나 보기 좋아요? 표구나 다시 해서 잘 보관하세요. 키를 더 키워야겠군요. 옛날 병풍은 다 이렇게 낮고 얇아요."

주인 여자는 아쉬운 듯 글씨와 그림을 번갈아 가며 들여다봤다.

"미봉 송수근? 처음 들어보는 이름인데."

그녀는 인명사전을 들쳐보며 호기심을 감추지 못했다. 순수한 궁금증이었다. 허투루 보이는 외모와 달리 제법 깐깐한 풍취를 지니고 있었다.

"바깥양반이 있었으면 좋을 텐데…. 난 잘 몰라요, 어깨너머로 배운 거라. 근데 이렇게 좋은 그림을 보면 소름이 쫙 끼쳐요. 얼마나 떨리는지 몰라요. 이런 그림 만나면 종일 마음이 둥둥 뜨고 행복해져요."

주인 여자의 표정이 한층 순하게 변해 갔다.

"이리 와 볼래요?"

낡은 철제탁자 바로 옆에 흰 회벽의 아치형 입구가 보였다. 두 평쯤 되는 그곳은 그림과 글씨로 가득했다. 판매목적인 모사품도 반절쯤 되어 보였다.

"저 자수품 좀 보세요. 사람 손으로 했다고는 믿기지 않죠? 저렇게 작은 얼굴 속에 표정들이 각기 다 달라요."

북한의 옛 풍속도 같은 대형액자 속에는 사계절을 모두 연출하느라 무수한 사람들이 동원되어 있었다. 얼굴은 좁쌀만 한 크기여서 그 속에 무슨 표정들이 각기 다르게 새겨져 있다는 것인지 도무지 알 수 없었다.

"너무 예뻐서 저번 날 무리해서 사들였어요. 전 가슴이 답답하면 이곳에 들어와요. 얼마나 마음이 편해지는지 몰라요. 바깥 양반은 자꾸 눈을 딴 데로 돌리는데, 가슴이 아프죠. 허지만 어떡할 거예요? 애들 밑으로는 아직 한없이 돈이 들어가고…. 시내 화랑도 지금 몇이나 문을 닫았는지 몰라요. 요즘은 그림을 찾는 사람도, 표구나 액자를 맡기려 하는 사람도 없어요."

주인 여자는 올이 술술 풀리듯 마음이 풀리는 모양이었다.

"다시 올게요."

갑자기 아내가 남자의 손목을 끌어냈다.

그때 넘겨줘 버려야 했는데. 남자는 입맛이 쓰다. 공복감이 담배를 밀어낸다.

3

등산로의 비탈을 그대로 살려 지은 까닭에 미술관 관람은 굽이굽이 산길을 에돌아 걷는 것 같다. 지하와 1층의 유리벽들은 병풍처럼 세로로 길게 나뉘어져 마치 무등산 자락을 따라 걷는 기분이 들게 한다. 자연을 거스르지 않게 지어진 이 미술관은 의재 선생의 마음에도 쏙 들 것 같다. 생각하고 보면 그는 참 복 받은 분이다. 문득 여자는 묘한 질투심을 느낀다. 누구는 이렇게 아름다운 집을 짓고 세세손손 기품을 뿜어내는데….

여자는 집에 있는 초라한 병풍의 노인을 떠올린다. 미봉이라는 작가의 흔적을 찾을 길 없는 여자의 마음은 허전하기만 하다. 진도 운림산방을 다녀와서도 그랬다. 예술의 품새가 크고 깊을수록 그 울림과 반향 또한 더 크기 마련이건만, 집에 돌아오면 가슴은 참혹해졌다. 기이한 일이었다. 의재 선생의 행적을 하나하나 알아갈수록, 선생의 기풍과 정신을 이해할수록, 그녀는 가슴 한쪽이 더욱 허허로워졌다.

그날, 표구점에서 여자는 돌연 마음이 바뀌었다. 십 년은 연상으로 보이는 표구점 주인 여자의 표정 변화가 그녀의 마음을 돌려세웠다. 병풍을 헌 옷가지 버리듯 쉽게 처리해선 안 될 것 같았다. 집에 돌아오자마자 여자는 인터넷에서 설주 선생에 대한 정보를 찾았다. 고종 11년에 태어나 거의 1세기 가까운 삶을 살다 간 탈속응필의 대가, 송설주 선생은 서력이나 나이에서 후진들에게 평가받을 수 없다는 자존심과 강직한 성품 탓에 평생 야인으로 남았다 했다. 92세로 임종하기 하루 전까지 88년간 오로지 글씨에만 정진했다는 그 삶의 세계가 그녀의 관심을 끌었다. 소치,

의재, 남농 등과 달리 설주 송운회 선생에 대해 금시초문이라는 사실이 더욱 그녀를 자극했다. 여자는 이 지방 토박이였다. 그녀가 인근 보성 출신의 서예대가에 대해 이름도 들어보지 못한 것은 그의 익명성 탓이라고 생각했다. 야인을 자처한 그의 짤막한 생평에서 갑자기 그녀는 알 수 없는 갈증을 느꼈다.

수시로 병풍을 펼쳐 놓고 그림처럼 글씨를 바라보기 시작했다. 어느 날엔 그 삐침과 내려침의 기상이 생생히 전해져 왔고, 그럴 때면 알 수 없는 감동에 사로잡히기도 했다. 잘 쓴 글씨의 힘이 어떤 것인지는 여전히 알지 못했다. 그저 자석에 끌리듯 그녀는 그런 이상한 체험으로 하루하루를 소일했다.

신선도와 글씨의 주인이 같은 '송宋' 씨라는 것도 신경이 쓰였다. 신선도가 두 사람으로 이뤄진 것에 다시 생각이 미치자 여자의 상상은 점점 불붙기 시작했다. 열 폭 화폭을 번갈아 가며 차지하고 있는 두 사람. 어쩌면 두 야인은 서로 교분을 나눈 사이가 아니었을까, 한 사람은 그림을, 다른 한 사람은 글씨를 쓴? 추사와 초의 선사, 정약용 등과 같은 선인들의 교류가 머리에 떠올랐다. 그녀의 궁금증은 이제 미봉 송수근으로 옮아갔다.

여자는 다시 인터넷을 뒤지기 시작했다. 그러고는 책자를 찾았다. 남종화, 수묵화, 몰골법, 구륵법…. 낯선 용어를 접하면서 그녀는 차츰 아이의 배내옷 손질을 잊어 갔다. 어디에도 미봉 송수근은 그림자도 보이지 않았지만, 날이 갈수록 병풍에 대한 여자의 집착은 커져 갔다.

거실에 하루 종일 병풍을 펼쳐놓은 날이 많아졌다. 열 폭 그림 중 가장 마음에 드는 장면은 갈묵으로 그린 초가을 정경이었다. 도롱이를 쓴 노인이 배꼽을 드러낸 채 맨발로 미소 짓고 있었다. 나머지는 몇 줄기의 갈대뿐이었다. 그 여백이 편안했다. 가만 들여다보고 있으면 그 여백 속에 여자 또한 가뭇없이 사라져 들어갈 것 같았다.

여자는 미술관 3층 모퉁이에 붙박인 듯 서서 움직일 줄 모른다.

空山無人 水流花開.
(산은 비었고 사람은 없는데 물 흐르고 꽃핀다.)

화려하고 기세 넘치는 모란이 여섯 폭 병풍 속에서 피어나고 있었다. 꽃들은 흐르는 물처럼 시간 위에서 끝없이 피어나고 있었다. 희디 흰 천장과 사면의 여백 속에서, 작가도 관람객도 없는 적막 속에서, 꽃은 저들끼리 피고 흘러넘쳤다.

여자는 잠깐 삼매경에 빠져든다, 만개한 모란 그림 앞에서. 그러나 문득 서늘한 기운에 사로잡혀 고갤 돌린다. 아무도 없다. 단지 왼쪽 벽에 커다란 독수리 한 마리가 형형한 눈빛으로 그녀를 보고 있을 뿐이다. 파도 넘실대는 바다 한가운데 솟아 있는 바위 위에서 눈 부릅뜨고 있는 독수리. 전에 없던 그림이다. 새의 자태는 굳건하고 눈빛은 천하를 호령할 듯 기세등등하다.

의재 선생의 혼이 웅혼하고도 뜨겁게 넘쳐흐른다. 황혼의 붉은 빛과 숲의 초록이 유리벽을 타고 넘나들며 만화경을 이룬다. 미술관 가득 출렁이는 빛과 색의 만다라 속에서 여자는 가슴이 뛰기 시작한다.

4

빨랫줄에 걸린 배내옷이 눈에 띄었다. 만지면 바스러질 듯 바싹 말라 있는 그것들. 언제부터 방치된 걸까. 아내는 아직 돌아올 기미가 없다. 남자는 전화를 해 볼까 하다가 포기한다. 문자나 카톡도 아닌 메모지라니. 남자는 다시 이마를 찌푸렸다. 속쓰림을 무시한 채 병풍을 펼쳐 들었다.

노인은 단정하면서도 어딘지 비루한 느낌이 든다. 민둥머리에 흰 수염을 가슴께로 늘어뜨린 채 바위에 다소곳이 걸터앉은 노인. 눈썹이 유난히 희다. 세 개의 골이 깊게 패인 이마와 부챗살처럼 커다란 두 귀, 웃는 듯 마는 듯 가는 눈매와 고운 입가, 남자의 시선은 이 모두를 천천히 스치고 지나 무릎 위에 놓인 두 손에 머문다. 여자 손처럼 부드럽고 고운, 아니 탱화의 부처님 손처럼 개안한 선. 두 손은 금방이라도 움직여 물 흐르듯 흘러 사라져 버릴 것 같다. 반면에 노인 뒤에 있는 폭포는 제자리를 완고히 고집하고 있다. 절벽을 타고 흘러내리는 물줄기 옆으로 비스듬히 상단만 보이는 노송 한 그루. 그 주변에 점점이 흩뿌려져 있는 분홍 꽃기운은 노인이 앉아 있는 바위 주변까지 내려와 있다.

폭포를 끼고 있는 암벽은 그다지 원근법에 충실하게 그려진 것 같지 않다. 화폭의 절반을 차지하고 있는 배경의 산수는 남자 눈에도 확실히 자연스럽지 않다. 암벽 위 여백의 화제시 여덟 자 중 남자가 알아볼 수 있는 글자라곤 '미봉美峯'이라는 낙관뿐이다. 아무래도 좋았다. 무엇이 아내를 홀리는 것일까. 남자는 병풍 속 노인을 다시 바라본다. 백발노인은, 나, 그렇게 살았소, 당당히 남자를 맞바라보더니 어느새 먼 산과 구름 쪽으로 시선을 돌린다.

또 하나의 인물은 보다 더 젊은 문인풍의 모습이다. 검은 두건을 쓴 그의 얼굴은 까만 수염과 짙은 눈썹 탓인지 백발노인보다 훨씬 침중한 분위기를 풍긴다. 전반적으로 그는 누군가를 그리워하는 인상이다. 잎사귀 넓은 나무에 기대어 하늘을 우러르는 그의 표정은 마치 옆의 화폭 속 노인이라도 기다리는 것 같다. 미가 산수처럼 습윤하고 부드러운 느낌을 주는 그것은 나머지 아홉 폭의 수묵담채들과 터치가 도드라져 보인다.

남자는 처음으로 진지하게 병풍을 바라보며 아내를 생각했다. 열 폭 병풍을 덮고 나서도 미적거리며 허전해 하던 아내였다. 뭔가 분명한 일이 있어 아침 일찍 집을 나섰다가 정작 돌아오는 골목 어귀에서야 아침의 그 출발길이 떠오른 사람처럼, 혹은 뭔가 귀한 것을 돌아오는 길바닥에 빠트리고 온 사람처럼, 그렇게 허퉁한 기색이었다.

무엇이 그렇게 아내를 사로잡은 걸까. 정체를 알 수 없는 아내의 감정. 남자는 자꾸 아내에게서 멀어지는 느낌을 지울 수 없다. 며칠 전, 회식 때문에 자정이 다 돼서 들어온 그에게 아내는 강 부장이라는 자가 다녀간 이야기를 했다. 보성군청 문화관광과에 문의를 했더니 정통한 분을 소개시켜 주더란다. 아내의 호기심이 그 정도였나, 남자는 놀랐다. 그렇다고 모르는 사람을 집 안까지 끌어들일 건 또 뭔가. 남자는 못마땅했다. 아내는 무표정한 얼굴로 물었다.

"그 청년들을 만나 볼 수 없을까."

"왜? 집값하고 안 맞아 떨어져서? 뭐 하러 그래. 다 지났는데. 오죽하면 그랬겠어?"

"참, 누가 그깟…. 그 병풍에 대해서만 묻고 싶어…."

"어디로 사라졌는지 찾기도 어렵거니와 설령 만나서 뭐 할 거야. 그렇게 궁금해 하면서 그림을 즐기면 더 좋은 거 아냐? 아니면 이제 처분해 버리든지."

담배 한 대를 다시 무는데, 명치끝이 사르르 아파온다. 아내는 아직 돌아올 기미가 없다. 남자는 병풍을 끌어내기 시작했다.

5

"선생은 평생 그림을 그리고서도, '나는 실패한 화가다' 고 잘라 말하셨소…. 허, 우리 같은 사람은 그저 부끄러워요. 선생은 마음에 꼭 드는 그림 한 점만 남기고 싶다고 몇 번이고 아쉬워하셨다지요."

언제 왔는지 백발 노인 하나가 여자 옆에 서 있었다. 기울어가는 햇살이 노인의 얼굴을 반쪽만 비추고 있어, 단둘이 서 있는 넓은 미술관은 다소 몽환적인 분위기를 자아냈다. 독백인가 싶게 낮고 작은 목소리가 이어졌다.

"말년에 선생은 누워서도 허공에 그림을 그리셨다지요. 우린 그저 부끄러울 따름이야. 추사는 벼루 열 개를 갈아 뚫고 천 개의 붓을 망가뜨렸다는데, 하, 나는 평생 벼루 한 개도 뚫지 못했어."

여자는 인터넷에서 읽은 글이 떠올랐다. 세상을 뜨기 하루 전, 큰 붓으로 '일필一必'이라는 두 글자를 쓰고 미처 낙관을 새기지 못한 채 자리에 누웠다던 설주 선생. '글을 쓸 수 없는 날이 내 생명이 다하는 날'이라 했다는 그의 모습이 오버랩되었다. 그 순간 갑자기 여자는 가슴이 두근거렸다. 어쩌면 이름 없는 작가들도 그렇게 살다 가지 않았을까. 평생 가난하게 살면서 이름 한 자 얻지 못하고 사라질지라도, 모두들 그렇게 애틋하고 절박하게 살다 가지 않았을까. 여자는 가슴이 다시 뜨거워졌다.

"혹시 미봉 송수근이라는 이름을 들어보신 적 있는지요?"

저절로 새어 나온 질문이었다.

"미봉 송수근이라 하였소? 글쎄올시다. 재야에 묻힌 훌륭한 화가들과 문인들이 참으로 많지요."

여자는 새삼스럽게 실망한다. 며칠 전에 체념한 일이었다. 그동안, 화랑가를 돌며 미봉에 대해 알아봤지만 허사였다. 하나같이 설주 선생의 글씨에만 관심을 보였다. 이름을 얻지 못한 화가는 그렇게 세인들의 호기심 한 자락도 얻지 못했다. 그러니까, 송설주 선생에 대해 정통하다는 강 부장을 만난 다음 여자는 그만 신선도의 작가를 놓아주기로 마음먹었던 것이다.

"설주 송운회 선생의 글씨란 말이죠. 제가 한 번 봤으면 싶은데요."

전화선을 타고 들려온 그의 굵은 바리톤 음색에는 조급증이 실려 있었다.

"직접 와 주신다면 저로선 더욱 고맙지요."

여자는 그의 방문이 그렇게 일사천리로 이뤄질 거라곤 생각하지 못했다. 긴장되었다. 최후통첩을 대하는 심정이었다.

"죄송합니다. 별것도 아닌 걸 가지고 이렇게 수선스럽게 해드려서…."

"아니, 별것이 아니라니요. 설주 선생 글씨를 가지고 별거 아니라하면 안 되지요."

여자의 송구스러움을 단칼로 베면서 그는 선걸음에 병풍으로 달려들었다.

"아, 맞습니다. 설주 선생 글씨가 틀림없군요."

눈을 가늘게 뜨고 바라보는 그의 입에서, 참 좋다! 신음에 가까운 감탄이 새어 났다.

"설주 선생이 60대에 쓰신 것 같습니다. 의재 선생은 잘 아시지요? 의재 허백련 선생도 설주 선생을 존경하셨지요. 선생 회갑 때 의재 선생도 오셨는데, 그때만 해도 '허군' 하고 선생이 부르셨다지요. 낙화무언洛花無言, 담인여국淡人如菊이라…."

여자는 더 이상 참지 못하고 끼어들었다.

"이 그림은 어떤가요?"

마침내 그가 미봉의 그림 앞에 섰다.

"신선도군요. 미봉이라, 잘 모르겠는걸요."

미간을 찌푸리더니 간단히 고개를 내저었다.

"제가 글씨는 조금 배웠습니다만, 그림은 모르겠군요."

신선도에는 간단한 일별뿐, 그의 시선은 다시 글씨로 되돌아가 버렸다. 여자의 궁금증은 풀리지 않았다.

"혹시 설주 선생과 이 그림을 그린 미봉과는 무슨 연관이 없을까요? 두 분이 같은 성씨를 갖고 있어서 혹시나 하구요."

"아니, 아무 관계가 없을 듯싶군요. '근' 자라면 송운회 선생과 항렬이 전혀 안 맞아요. 내가 그 집안 내력을 꿰고 있는데 전혀 무관합니다. 그냥 우연일 뿐이어요. 한마디 더 해 드릴까요? 이 낙관을 보세요. 마구잡이로 찍혀 있어요. 아마 설주 선생 몰래 마음대로 찍어버린 것 같아요. 전혀 낙관 찍는 법도 모르는 자의 솜씨지요."

그는 야릇한 미소를 지었다. 그로서는 볼 것을 다 보았다는, 한걸음에 달려온 자신의 열기를 이제 다 식혔다는 표정이었다.

비로소 여자는 매실차라도 한 잔 대접할 생각을 해냈다. 그는 사양했다. 거실에 펼쳐 놓은 병풍 앞에 선 채로 그는 말을 마쳤다.

"여기 자료를 뽑아왔으니 도움이 되었으면 좋겠군요. 그럼 저는 이만."

인터넷에서 찾아본 자료 그대로였다. 그녀는 조급하게 다시 말문을 열었다.

"혹시 그분 일화에 관한 또 다른 자료는 없을까요?"

"글쎄요, 딱히…. 유고문집이 하나 있긴 하지만…."

"아, 네…."

여자는 이쯤에서 물러났다. 왠지 구차하게 느껴졌다. 더 매달려 캐고 캐어도 미봉은 나타나지 않을 것이다. 비매품으로 발간된 『설주유고』를 보기 위해 여자는 대학도서관을 두 번이나 찾아갔다. 문집에는 504수의 시가 담겨 있었고, 설주 선생이 교유했던 수 많은 이들이 언급되어 있었다. 그러나 그 속에 미봉은 없었다. 그녀는 허탈했다. 미봉의 정체가 왜 그렇게 궁금했던 것일까. 야인으로서의 설주 선생의 삶이 그녀의 마음을 흔들어 놓았다면, 미봉은 더했다. 설주 선생이 야인으로 살기를 자처하여 구십 평생을 글씨에 몰두했다면, 신선도의 작가도 의당 그랬을 것 같았다. 한데 누구도 일별하지 않는다는 것이 속상했다. 소수의 입에서 이름 한 자라도 회자되기를 그녀는 바랐다. 그것이 공평하다고 생각했다.

어느 머슴 하나가 돌연 뇌리에 떠올랐다. 설주 선생 몰래 낙관을 찍어 글씨를 간직했을 머슴의 심정이 떠올랐다. 그는 하마 전면에는 신선도를, 후면에는 글씨를 펼쳐 놓고 즐겼을까. 어쩌면 자식 혼수품으로 향유하게 하고 싶었을까? 혹은 단지 탁주 한 사발이 아쉬웠을까….

망연히 제 생각에 빠져든 여자를 지그시 지켜보던 노인이 품에서 책을 하나 꺼내 든다.

"이 책 한 번 보시려우? 돌려줄 필요 없어요, 난 다 읽었으니. 보아하니 이런 쪽에 관심 있는 모양이니, 고마운 일이지요. 요즘 같은 세상에."

관람객이 없는 텅 빈 미술관이 못내 섭섭한 듯 노인은 시선을 창밖으로 돌린다.

"하, 참 좋다. 저 초록을 보시오. 초록이라고 다 같은 초록이 아니라오. 이맘때 초록은 꽃보다 더 이쁠 때죠. 금방 있으면 초록이 다 한가지로 변할 테니 지금 많이 봐두시구려."

그리고 보니 창밖의 초록은 저마다 농담이 달라 가지각각의 온갖 초록이 모여든 것 같았다. 4월의 연초록을 조금이라도 더디 보내고 싶어 하는 노인의 아쉬움이 느껴졌다.

여자는 책의 표지를 점자를 읽듯 어루만졌다. 『삶은 예술과 경쟁하지 않는다』 마치 잠언 같은 제목이다.

"삶이 예술과 경쟁하지 않는다는 사실을 난 이제야 깨달았소. 초록 하나도 서로 같지 않으면서 어느새 한 초록으로 숲을 이루는 저 나무들을 보시오. 삶과 예술이 경쟁하지 않는다는 걸 이 황혼에서야 알았으니, 이 늙은이의 아둔함이란 어쩔 수가 없단 말이오."

끊임없이 회한과 화해를 되풀이하는 모양이다. 울고 웃는 노인의 내면이 보이는 것 같아 여자는 민망하다. 그러나 그것은 또한 경이감으로 변한다. 저 노년에 맑은 물처럼 속을 내비치기란 얼마나 어려운 일인가. 허위와 가식을 모르는 담박한 노인 같다.

삶은 예술과 경쟁하지 않는다고? 여자는 새삼 노인을 바라본다. 황토색 벙거지 등산모만 빼면 어딘가 낯익었다. 미소 짓는 듯 마는 듯한 행인형杏仁形의 둥근 눈매와 가는 입술, 얼굴 곳곳에 피어난 엄지만 한 저승꽃들마저 자연스러운. 아아, 그는 다름 아닌 신선도의 노인이었다. 구름 위의 신선이 아니라 맨발에 배꼽을 드러내 놓고 있는 노인. 문득 여자의 눈앞에 의재 선생의 얼굴이 떠올랐다. 여기저기 저승꽃이 피었지만, 눈빛만은 형형히 살아 흰 수염을 날리며 대숲 길을 휘이휘이 걷고 있던. 그러자 이번엔 소치와 남농과 설주의 얼굴이 떠올랐다. 설주를 흠모하는 한 머슴이 떠올랐고, 연이어 미봉의 모습이 떠올랐다. 미봉은, 그 모든 사람들의 조합으로 태어나고 있었다. 눈앞의 노인, 그가 또 하나의 미봉이었다.

*

기우는 햇살 자락에 간지럼 타듯 아기가 발가락을 꼼지락거린다. 연두부처럼 희고 부드러워 보이는 얼굴, 입에 넣고 살살 핥아 보고 싶게 유혹적인 두 주먹과 앙증스런 발가락. 여자는 얼른 눈길을 거둔다.

멀리, 산벚나무 너머로 노을이 흩어지고 있다. 물오른 리기다 소나무와 편백, 삼나무와 사시나무, 각종 수종들이 어우러진 무등산을 뒤돌아본 여자의 눈길은 다시 유모차로 향한다. 빨강, 노랑, 파랑. 삼원색이 도드라진 유모차 손잡이에 검정 비닐봉지 하나가 대롱거린다. 여자를 향해 새댁이 고개를 까닥한다. 콩나물 머리가 보이는 검정봉지가 푸른색 철재 대문 속으로 쏘옥 사라진다. '동동주'와 '도토리묵'이 커다랗게 쓰인 새로 지은 가게들 틈에 숨듯 들어가 있는 푸른 대문 하나. 아아, 여자는 잠시 걸음을 멈춘다. 사라진 아기의 젖내가 맴돌고 있다.

괜찮아.

의재로를 따라 걸어 나온 여자의 가슴에 찰랑찰랑 잔물결이 차오르기 시작한다.

사월의 초록이 노을 속에서 강물처럼 흐른다.

수
자

*

    여자는 2톤 트럭 옆에 앉아 책을 보고 있었다. 근린공원 모퉁이, 키 큰 왕벚나무 그늘 아래였다. 색 바랜 빨간 플라스틱 의자 위에 두 다리를 올린 채 누런 책에 코를 박고 있었다. 맨발이었고, 검게 그을린 발등엔 파란 플라스틱 슬리퍼가 반쯤 걸쳐져 있었다. 과일을 팔려는 의지가 없어 보였다. 길 가는 사람들의 시선뿐 아니라 폭염 경보조차 안중에 없는 것 같았다. 하긴, 36도를 오르내리는 더위 탓에 행인들도 뜸했다. 여자가 과일을 실어 와 좌판을 벌여 놓은 그곳은 목요일이면 뻥튀기 장수 부부가 차지하던 장소였다.

    트럭을 막 지나쳤던 수정은 자석에 끌려가듯 되돌아갔다. 수박 하나 골라 주실래요? 바나나는 점박이 상태를 지나 검게 짓무르기 직전이었고 토마토도 완숙을 지나 터질 것 같았다. 샛노란 참외만이 그런대로 제 빛깔을 지키고 있었는데 그것도 의심스러웠다. 수정이 이미 말을 내뱉은 뒤에 발견한 것들이었다. 갖다 주실래요? 바로 앞인데요. 트럭 여자는 재빠르게 끈으로 수박을 묶고 따라나섰다.

공원에 바짝 붙은 아파트 쪽문만 들어서면 바로 수정의 집이었다. 트럭에서 30여 미터밖에 안 되는 거리였다. 배달해 달라는 요청이 무리가 아니었지만, 또 수정 혼자 힘으로 수박 한 덩이쯤 들고 갈 수 있는 거리이기도 했다. 수정은 여자가 트럭을 내버려 두고 갈 수 없다고 거절하면, 그걸 핑계로 수박을 다시 내려놓을까 생각했다. 그러나 여자는 단숨에 앞장섰다. 오히려 수정이 여자 뒤를 따라 뛰다시피 걸어야 했다. 여기 그냥 내려놓으세요. 현관 입구에서 수정이 여자에게 말했을 때, 여자는 멈칫거리더니 주변을 빙 돌아보고서야 굼뜨게 자리를 떴다. 여자가 사라지고 나자 수정은 비밀번호를 눌렀다. 머리 위 천장에 CCTV가 있었지만 수정의 경계심을 다 풀어주진 못했다. 엘리베이터를 기다리는 사람들과 입구를 같이 써야 하는 것만 빼면 수정은 이 1층집이 좋았다. 비 오는 여름날이면 어디 깊숙한 숲 속 펜션에 온 것 같은 기분이 드는 집이었다. 공원의 나무들은 누구보다 먼저 사계절의 변화를 알려 주었고 하루에도 시시각각 다른 빛깔들을 연출했다. 20년을 살았어도 물리지 않는 집이었다.

부엌 바닥에 세워 둔 채 수정은 수박을 멀뚱히 바라봤다. 올해 처음 산 수박이었고, 충동적인 구매였다. 그녀가 수박 살 일은 거의 없었다. 수정은 부엌칼을 단단히 쥐었다. 칼이 쉽게 박히지 않았다. 뜻밖에도 씨앗은 희었고, 과육마저 흰색 바탕에 연분홍 물감이 번진 모습이었다. 도마 위로 풋내가 피어올랐다. 수정은 검정봉지에 수박 두 짝을 맞추어 담았다. 트럭이 사라지기 전에 돌려줄 생각이었다. 잘라 버렸다고 타박하면 한마디 쏘아 줄 참이었다. 이런 걸 팔고 싶냐고.

어째 그런 것이 들어 있었을까요. 트럭 여자는 검정봉지를 선뜻 받아들며 순하게 반응했다. 서둘러 전대에서 15,000원을 꺼내들고는 다짜고짜 수정의 손에 쥐여 주었다. 수박을 바꿔 준다든가 다른 과일을 골라 보라는 둥의 제안은 꺼내지도 않았다. 무관심한 듯 이미 고갤 돌려 버렸고, 수정은 조금 머쓱했다. 누군가 트럭을 향해 다가오자 수정은 얼른 자릴 떴다.

길가 트럭에서 물건을 살 때는 낭패도 볼 수 있는 법. 수정은 마음이 편치 않았다. 억척어멈처럼 두 동강 낸 수박을 물린 스스로가 못마땅했다. 그러나 그 불편한 마음엔 이유가 또 하나 있었다.

트럭 여자의 얼굴이 낯익었다. 그녀가 서둘러 돈을 건네며 시선을 피했을 때, 수정은 분명하게 보았다. 낯익은 눈동자였다. 그을린 얼굴이나 두툼한 팔뚝은 몰라도 그 검은 눈동자만은 익숙했다. 수정은 여자의 음성을 떠올리려고 애를 썼다. 누군지 얼른 생각나지 않았다.

이튿날, 수정은 트럭 여자에게서 복숭아 한 바구니를 샀다. 복숭아는 그다지 탐스럽지 않았다.

"혹시 우리가 어디서 본 것 같지 않아요?"

여자의 눈은 흰자위에 비해 눈동자가 컸고 도드라지게 검었다. 그러고 보니 짙은 저 눈썹도. 분명 아는 얼굴이었다. 그러나 여자는 쌀쌀맞은 얼굴로 수정을 똑바로 바라보았다. 어제 시선을 피하던 것과는 완전히 달랐다.

"우리가 어디서 봤을까라? 내가 원체 흔한 얼굴이라서……."

여자는 수정의 의혹을 일시에 묻어 버렸다. 수정은 봉선여중 안 다녔어요? 하고 캐물으려다 말았다. 문득 여자가 앳된 것 같았다. 숱 많은 검은 머리카락 탓인지 검게 그을린 여자의 피부는 다시 보니 꽤 탄력 있어 보였다. 수정은 주춤했다. 우리가 동창 아니냐고 나서기가 그랬다. 여자의 나이를 종잡을 수 없었다. 수정은 플라스틱 의자 위에 놓인 책을 바라보며 말을 돌렸다.

"책을 좋아하시나 봐요?"

"아, 에, 닥치는 대로 봐요. 심심해서."

그래, 맞았어. 옛날에도 그랬지. 분명해, 너 수자 맞지? 수정은 수자 맞지? 하고 외치고 싶었지만 다시 참았다. 이번엔 행색이 너무 아니었다. 『인간실격』을 이야기하고 바이런을 논하던 문학소녀 수자이기엔. 어쩌면 수자가 아닌 것이 나았다.

"무슨 책 좋아하세요?"

"아무거나 읽죠, 그냥 시간 때우려고. 지겨우면 이렇게 핸드폰 가지고 놀기도 하고요."

트럭여자는 배시시 웃으며 휴대폰을 내보였다. 뜻밖에도 신형 아이폰이었다. 엄마, 아이폰으로 좀 바꿔요. 영지의 채근에도 수정은 제 휴대폰을 고수했다. 새로운 기계에 적응해야 하는 일이 귀찮았다. 아이폰끼리의 공짜 통화도 원치 않았다. 전화 붙들고 오랫동안 감정을 토로하는 것을 수정은 경계했다. 하나뿐인 딸과도. 젊어서는 감정을 분석하여 정리하려고 애썼지만 어느 순간부터 수정은 내버려 두었다. 저마다 자기 몫의 고독과 고통의 총량이 있을 뿐이었다. 호들갑스럽지 않게 조용히 그 총량을 소진하는 것. 그것이 제 여생을 두고 수정이 바라는 것이었다.

여자의 아이폰을 돌려준 대신 수정은 의자 위에 펼쳐진 낡은 책을 집어 들었다. 『추락』을 읽네! 하마터면 그렇게 소리칠 뻔했다. 책은 물에 빠졌다 나온 듯 심하게 불량했다. 부풀려진 책을 들춰 본 것은 순전히 그것이 쿳시의 『추락』이어서였다. 수정이 바로 며칠 전 읽은 2004년 출판본이었다. 책은 물에만 추락한 것이 아니었던지 커피나 콜라 같은 음료로 얼룩져 있었다. 어디서 버려진 책을 집어 들고 온 것인지.

"이 책 재밌어요?"

"어? 그냥요……. 시간 죽일라고요."

수박 값을 수정에게 반환해 주던 첫날의 신속한 모습은 싹 사라지고 여자는 다시 수더분하고 순박한 여자로 변했다. 『추락』에 대한 언급이 길어지기를 원치않는 낌새였다.

"뭐 버릴 책 있음 나 주세요, 난 아무거나 읽어요. 시골집에 둔 내 책을 옆집 할멈이 전부 없애 버려서. 말도 없이 말이죠, 아무도 없다고 놈의 것을 다, 그래서 얼마나 화가 나던지 할멈을 확……."

여자가 갑자기 횡설수설하며 씩씩댔다.

"시골이 어딘데요?"

그런 건 왜 묻느냐는 듯 여자의 시선이 싸늘해졌고, 그 기세에 수정은 움찔했다. 고집 센, 곱슬머리의 최수자. 수정은 여자의 새까만 머리카락과 넓적하게 퍼져 버린 얼굴을 조금 무례하다시피 찬찬히 바라봤다. 얇은 쌍꺼풀에 조금 낮은 콧두덩이며 두꺼운 입술, 무엇보다 저 이글이글한 두 눈…….

"그럼, 많이 파세요."

여자의 경계 서린 눈빛을 의식한 수정은 그렇게 자리를 떴다. 넌 정말 나를 모르는 거니. 아무리 세월이 흘러도 우리가……. 수정은 여기에서 생각을 멈췄다. 지금 자신이 뭘 기대하는지 몰랐다. 뭔가 어리둥절한 기분이 들었다.

복숭아는 무르고 달지 않았다. 수정은 혼자 먹어 치울 수 없는 복숭아 더미를 한참 바라보았다. 남편이 있었더라면. 남편은 입맛이 까다롭지 않았다. 웬만한 것은 군말 없이 먹어 치웠다. 입맛뿐 아니라 매사에 무던한, 선량한 사람이었다. 그의 무던함으로 결혼생활이 유지되었다는 걸 누구보다 수정이 잘 알았다. 수정은

선량한 사람들의 참을성과 그 임계치를 떠올려 보았다. 그러자 어쩐지 수자가 저를 먼저 알아봤을 거란 생각이 들었다. 수정이 되돌아가 수박을 샀던 순간, 혹은 수박을 아파트 현관에 내려놓고 머뭇거리던 순간, 적어도 환불해 주던 그 순간쯤에는. 그렇다면, 수정 또한 아직 모른 체하는 게 나았다.

오래전, 수자는 『데미안』을 빌려갔다. 수정이 또렷하게 기억하는 것은 그 시절 책이 귀한 탓도 있었지만 그것이 지영의 생일 선물이었기 때문이다. 수자는 중학교 졸업 때까지 돌려주지 않았고, 뜻밖에도 다른 도시의 실업계 고등학교로 진학해 버렸다. 그걸로 둘의 관계는 끝이었다. 누구도 수자의 소식을 전해 주지 않았고 수정도 궁금하지 않았다. 그렇게 까마득히 잊고 산 세월이었다.

'너는 나의 에바.'

수자는 수정에게 그런 서두로 시작된 편지를 내밀곤 했다. 제 손톱 밑을 바늘로 찔러 피를 뽑아 묻힌 흰 장미꽃 한 송이를 하얀 화장지에 싸서 건네주기도 했다. 수정은 웃었다. 미친 중2 시절이었으니까. 수정은 수자의 우스꽝스런 편지를 지영과 함께 읽곤 했다.

지영이 살아 있었다면 당장 수자 이야기를 꺼냈을 것이다. 과일 파는 여자를 두고 마음껏 궁리할 수 있었을 것이다. 뭘 그렇게 질질 끌어? 지영이라면, 곧장 확인하고 말았을 것이다.

너, 수정이 좋아해? 사랑하냐고!

학교생활관 뒤편에서 지영은 그렇게 수자를 몰아세웠고, 그것이 중2가 끝나는 겨울이었다. 일찍 죽어버린 지영을 생각하자 수정은 울적해졌다. 이제 곁에는 아무도 없었다.

*

다음 날, 그 다음 날도 여자는 같은 장소에 트럭을 부려놓았다. 아예 정착하기로 작정한 것 같았다. 폭염 탓에 쉬는 건지 과일 트럭이 독점하기로 한 건지, 목요일에도 뻥튀기 부부는 보이지 않았다. 피트니스에서 나온 수정은 잠깐 공원 벤치에 앉아 여자를 바라보다. 트럭에 잔뜩 과일상자를 쌓아 놓고도 성에 차지 않았는지 오늘따라 바닥에 자두며 토마토며 참외 바구니들을 욕심껏 부려놓았다. 하루하루 여자의 좌판은 커져 갔다. 그렇다고 손님이 더 느는 것 같지는 않았다. 공원만 가로지르면 대형마트가 있고, 아파트 단지 내에 과일가게와 야채가게들이 차고 넘쳤다. 수정은 벤치에서 일어났다. 나무 그늘 아래조차 바람 한 점 불지 않았다. 얼른 집에 가서 쉬고 싶었다. 더위를 타지 않는 수정도 숨이 턱턱 막혔다. 이번엔 트럭 여자가 먼저 말을 건네 왔다.

"내가 사람 좋아가지고 이거 하나 저거 하나 물렸더니 글쎄 그러면 쓰것소? 애들이 나를 만만히 보고서 싹 집어간단 말이오. 내가 흙 파먹고 사냐고요. 그냥 이뻐서 하나씩 떼어주면 그런 줄이나 알지."

"무슨 소리예요?"

"지나가는 조무래기들도 아줌마, 나 바나나 먹고 싶어요, 그런단 말이오. 나한테 뭐 맡겨났냐고요."

수정은 저도 모르게 두리번거렸다. 저 멀리 벤치 한쪽에 노인용 보조 보행기를 옆에 둔 노파 혼자 부채질을 하고 있었고, 젊은 여자 둘이 선 채로 뭔가 이야기를 나누는 모습이 눈에 띌 뿐이었다. 아이들이라곤 구경하기 힘든 시각이었다.

"설마 애들이 그래요?"

"또 뭐 하러 남의 가게에서 상자를 들춰 보고 가냐고요."

여자는 수정의 말을 슬쩍 비껴갔다. 그러면서도 뭐가 뒤틀린 건지 욕설을 섞어가며 한참 알아들을 수 없는 말을 계속 쏟았다. 더위 탓에 짜증이 난 것일 수도 있었다.

"이것도 어엿한 가겐데 남의 가게를……. 안 살라면서 지랄……."

분을 못 이기겠다는 듯 제 트럭을 발로 툭툭 쳐 댔다. 평소 책에 얼굴을 파묻고 있던 모습은 찾아볼 수 없었다.

그래, 당신은 수자가 아니야. 수자일 리가 없지.

수정은 고개를 주억거리고 돌아섰다.

집에 돌아오자 금세 생각이 달라졌다. 어쩐지 여자가 자기를 속이고 있다는 생각이 들었다. 정말 나를 모르는 걸까. 수정은 아파트 낮은 담 너머 백일홍 나뭇가지 사이로 보이는 2톤 트럭을 한참 동안 노려보았다. 수박을 환불할 때, 시선을 피하며 서두르던 모습이 다시 떠올랐다. 먼저 수정을 알아본 것이 틀림없었다. 그 느낌은 점점 확신으로 변해갔고, 수정은 문득 두려움에 휩싸였다. 알 수 없는 불안감이 일기 시작했다.

이마에 송골송골 땀이 맺혔다. 여름 석양은 능청스런 불청객처럼 쉽게 사라지지 않았다. 트럭 또한 일찍 철수하지 않을 것이다. 수정은 어제저녁에도 9시가 지나도록 그대로 서 있던 트럭을 떠올리며 일찍 커튼을 내렸다. 실내 온도를 낮추려고 에어컨 앞에 섰을 때, 휴대폰이 울렸다. 영지의 전화였다.

"좀비마약은 조용하니? 너 있는 곳은 괜찮아?"

"엄마는 자꾸 왜 그래."

"아냐, 난 그런 게 더 무섭더라. 어느 날 갑자기 앞집 젊은 여자가 나를 물어뜯을지도 모른다는 생각이 들면……. 무서워, 우리나라에도 그런 좀비마약이 안 들어왔으란 법 있니?"

"엄마, 아빠랑 헤어진 후유증이 너무 심하다. 더 나빠진 거 아냐? 사람들 좀 만나고 그러라고."

좀비마약사건은 수년 전에 인터넷에 뜬 것이었다. 사람이 사람을 닥치는 대로 물어뜯어 먹는 잔혹한 동영상을 수정은 우연히 보았다. 이상하게 잔상이 오래 남았다. 쓰레기봉투를 가지고 나오는 앞집 여자와 눈이 마주쳤을 때, 정말 수정은 터무니없이 움츠러들었고, 며칠 동안 잠을 설쳤다. 그러면서도 늦게 배운 도둑이 무섭다고 수정은 컴퓨터에 중독되어 갔다. 눈을 뜨자마자 휴대폰으로 다음과 네이버를 샅샅이 훑었고, 아침을 먹고 나면 정식으로 컴퓨터를 켰다. 그녀의 삶과 전혀 무관한 수년 전, 수십 년 전의 사건들을 두고 그녀는 아아, 하면서 최근에 벌어진 일처럼 받아들였다. 그러면 하루해가 훌쩍 갔다. 단조롭고 평화로운 나날이었다. 그렇게 봄이 갔을 때, 수정은 몸이 급격히 상한 걸 알았다. 자세가 무너지고 근육이 빠져나간 노구가 되어 가고 있었다. 겨우 한 계절을 보냈을 뿐이었다. 수정은 안과와 신경과, 정형외과를 거쳐 한의원을 몇 차례 전전한 다음 피트니스에 등록했다. 트레이너는 스쿼시나 스피닝을 추천했지만 역동적인 것은 그녀와 맞지 않았다. 그녀는 기껏 벨트 위를 걷거나 간신히 요가 시간에 맞춰 다녔다.

"운동 열심히 하고 있지?"

영지는 오늘도 멀리서 제 엄마를 챙겼다. 아빠처럼 엄마도 제2의 인생을 리모델링할 수 있기를 바랐다. 딸이 국내에 산다면, 수정이 짐 되지 말란 법 없을 것이다. 그런 점에서 수정은 영지가 미국에 정착한 것이 좋았다.

당신은 목석이야.

무던한 남편 입에서 불만이 터져 나온 것은 영지가 결혼해서 한국을 떠난 직후였다. 남편은 성실했고, 선량한 사람이었다. 치졸한 남자들이 세상에 널렸지만 남편은 바른 사람이었다. 2살 연하인 남편은 그 반듯한 생활 덕분인지 또래 나이보다 더 젊었다. 그런 그가 평생 관습에 묶여 살아야 하다는 것은 온당하지 못했다. 그 점을 수정은 잘 이해했다. 남편이 나가 살겠다고 말했을 때 수정은 진심으로 축하한다고 말했다. 괜찮아? 남편 또한 진심으로 혼자 남을 수정을 걱정했다. 수정은 괜찮다고 대답했고, 그 것 역시 진심이었다. 폐경한 지 오래였고, 남편이 꼭 필요한 나이는 아니었다. 모든 게 진심이었고, 진심이어서 더 좋아질 것 없는 것이 삶의 또 하나 얼굴이었다.

*

너 외로운 거니.

질문은 저 자신에겐지 수자에겐지 불분명했다. 창밖 과일 트럭을 바라보는 일이 수정의 일과가 되어버렸다. 수정은 머리를 흔들었다. 수자이면 어떻고 아니면 또 어때. 그러나 만일 수자라면. 이렇게 서로 외면한다는 것은……. 수정은 다시 생각에 빠져들었다.

수자가 수정을 나의 뮤즈에서 나의 에바로 바꿔 부른 시기였을 것이다. 수자의 분노에 찬 눈동자가 떠올랐다. 그 앤 원래 그래. 전에도 벚꽃에 피를 묻혀준 적 있어. 무슨 다다이스트나 된 것처럼 말야. 그렇게 지영이와 키득거릴 때 수자가 쓰윽 지나갔고 수정은 수자의 뒤통수만 보았던 것인데도 이상하게 이글거리는 수자의 눈동자를 본 듯한 착각이 들었다. 얼마 후 수자는 학교

엘 나오지 않았다. 일주일 만에 수자는 손목을 손수건으로 동여 맨 채 등교했다. 춘추복 긴 팔 블라우스를 입고서도 계속 손목을 손수건으로 휘감고 다녔다. 바보 같은 기집애. 꼭 표를 내야 하니. 수정은 제 무리들과 함께 수자를 비웃었다. 면도칼로 살짝 긋다 말았을 거야, 순전히 과시용이라고. 지영의 만류에 수정은 더이상 수자에게 다가가지 않았다. 어디 한번 보자, 수자의 왼 팔목을 두른 손수건을 풀어보자고 한마디만 건네주었더라면. 수정은 나중에 잠깐 그런 후회를 하긴 했다. 수자가 가출했던 사흘 동안.

어느 날 수자는 가사실 뒤편으로 수정을 불러냈다. 서로 거리를 두던 시기였다.

"왜?"

한참 뜸을 들인 수자가 말했다.

"나 떠날 거야. 너도 함께 가지 않을래?"

……

"너도 지겹다 하지 않았어? 탈출하고 싶다고. 이 다람쥐 쳇바퀴에서 탈출하고 싶다 하지 않았어?"

수자의 말투는 절박한 구애처럼 다가왔다. 수정은 수자의 팔목을 힐끗 보았다. 하늘색 체육복 소매 끝에 가려 상처는 보이지 않았다. 수정은 한숨을 내쉰 다음 조용히 물었다.

"가면 어디로 갈 거야?"

"부산으로. 먹여 주고 재워 주는 곳을 알아 놨어. 우선 거기에 있으면서 더 알아봐야지."

…….

"같이 가지 않을래?"

수자는 다시 간절하게 물었다. 마침내 수정이 말했다.

"혼자 가. 나는 안 갈 거야. 그리고 딴 애들한테도 같이 떠나자고 하지 마. 가려면 너 혼자 가, 당당하게."

정말 수자는 가출했다. 월요일 아침. 담임이 수정을 불렀다. 수자가 토요일 날 집을 나간 다음 지금까지 집에 안 들어왔다고 했다.

"너한테 무슨 말 안 했어? 어디로 간다는?"

수정은 부산, 이라고 조그맣게 대답했다. 담임이 수정의 이마를 톡 쳤다.

"못 가게 했어야지. 돌아오면 잘해, 수자한테."

뜻밖에 담임은 호방했고, 사흘 후에 수자는 보란 듯이 학교에 돌아왔다. 부산 어느 산업체 공장 기숙사에서 수자 집으로 전화가 왔고, 즉시 수자 아버지가 부산으로 달려가 수자를 모셔왔다는 후문이었다. 수자는 공부를 잘하지는 못했지만 밖으로 도는 아이도 아니었다. 수자다운 가출과 귀환이었다고 수정은 생각했다. 둘은 더 가까워지지 않았다. 돌아온 수자는 수정에게 데면데면했고, 수정도 그게 차라리 나았다.

너 외로운 거니.

수정은 창밖을 바라보며 다시 중얼거렸다. 등을 구부정하게 숙인 채 책을 들여다보는 여자는 수자임에 틀림없었다. 수정은 당장 밖으로 나가 여자의 어깨를 감싸 안고 싶었다. 사는 게 뭐 별거니. 이 나이에 우리 뭐 가릴 게 있다고. 그러나 차갑게 거부하던 여자의 눈빛이 생각났다. 그것은 저항하는 수정 자신의 내면이기도 했다. 미안했다고, 너에게 사과라도 해야 하는 거니.

남편은 수정에게 여자가 생겼다며 미안해했다. 그의 곤혹스런 표정과 사과가 얼마나 진지했던지, 수정도 하마터면 남편에게 미안하다고 사과할 뻔했다. 그가 30년 가까이 함께한 가족이었단 걸 새삼 실감했다. 남편은 집뿐만 아니라 연금의 일부를 떼어 줬다. 수정의 요구대로 그는 집에서 몸만 빠져나갔다. 그녀는 운이 좋은 삶을 살았다고 할 수 있었다. 직장이라곤 다녀 본 적 없었고, 어떤 고난도 겪어 보지 않고 황혼을 맞은 것이다. 기생해 온 인생. 수정은 혼자 남게 되자 자신의 삶을 그렇게 규정했다. 그렇게 살아온 자신에 대해 딱히 할 말이 없었다. 당연히 후회나 억울함 따윈 일지 않았다. 남은 삶도 크게 달라질 것이 없었다. 주식이나 사업 같은 것은 생각도 안 할 것이고 그저 자족하는, 안전한 삶을 살다 갈 것이었다.

목석 맞네.

그렇게 수긍하자 갑자기 루시가 떠올랐다. 그저 남아프리카공화국의 이상적 이미지일 뿐인 루시. 수정은 서가에서 『추락』을 꺼내들었다.

*

　한 무리의 사람들이 도시락밥과 담배, 아이스음료들을 사 들고 나가자, 수정은 커피메이커 앞에 다가섰다. 뜨거운 커피를 주문하는 수정에게 알바생은 오늘도 눈길 한 번 주지 않았다. 그런 무심함이 수정은 좋았다. 오래 살아온 동네가 그럴 때면 낯선 이국처럼 다가왔다. 자신의 동네가 안전한 여행지이자 낯선 이방이었다. 남편에게 집을 요구한 것은 탁월한 선택이었다. 익숙한 동네를 떠나기 싫었다. 고양이처럼. 그녀는 주택 담보로 야금야금 살아갈 거였다. 연금과 함께 아껴 쓰면 20년은 거뜬히 버틸 것이다. 운이 좋았어, 라고 수정은 자주 자신의 삶을 평가했다. 끝까지 기생충이네. 이런 자조 섞인 기분이 들 때면 그녀는 책으로 도피했다. 책 속으로 숨으면 현실에서 무능한 인간이 잠시 지워지곤 했다.

　편의점 안은 지나치게 시원했다. 창밖의 쨍쨍한 햇빛을 바라보며 수정은 커피를 천천히 홀짝였다. 아이고 미쳐버리겠네! 과일 여자가 편의점 문을 밀치고 쑥 들어섰다. 여자는 출입구 왼쪽 상단에 진열된 파우치 커피들 중 하나를 망설임 없이 뽑아들더니 얼음냉장고로 곧장 돌진했다. 600원짜리 얼음컵을 하나 집어 든 다음 옆구리에 끼고 온 커다란 제 물병에다 두 가지를 쏟아부었다. 아이고, 살것다! 여자는 입안에 얼음을 굴리면서 계산대에 익숙하게 돈을 올려놓고 나갔다.

"저분, 여기 자주 오나요?"

"예, 매일 한 번은 오세요. 한 번 더 오시는 날도 있고요."

알바생은 제 휴대폰에서 눈을 떼지 않은 채 건성으로 대답했다. 아, 얼마를 번다고. 알바생의 샛노란 머리통을 바라보며 수정은 도통 팔리는 것 같지 않던 트럭 과일들을 떠올렸다. 하긴, 수정 또한 집이 지척인데도 피트니스 건물에 딸린 이 편의점을 그냥 지나치지 못했다. 폭염이 심할수록 편의점은 더 장사가 잘되는 것 같았다.

편의점에서 나오자 당장 숨이 턱 막혔다. 수정은 공원을 가로질러 걸었다. 낡은 플라스틱 의자 위에 두 발을 올려놓은 채 여자는 트럭 옆에 앉아 있었다. 누런 책 한 권과 만화책이 과일 바구니 위에 아무렇게나 팽개쳐 있었다. 이번엔 커다란 밀짚모자를 눌러쓰고 있어서 여자의 표정을 볼 수 없었다. 수정은 서둘러 트럭 앞을 지났다.

한낮, 뜨거운 열기 속에 온 세상이 녹아내리고 있었다.

트럭 여자 저 혼자 세상 밖 정물 같았다.

＊

아침부터 비가 내렸다. 트럭 양 날개는 깃을 세우듯 세워졌고 천막지붕 아래 과일들이 상자째 쌓여 있었다. 펼쳐진 무지개색

파라솔 아래 플라스틱 의자 두 개와 복숭아 상자 두 개가 놓여 있었다. 짐을 풀다 만 상태였다. 트럭 여자는 보이지 않았다. 수정은 저도 모르게 두리번거렸다. 벌써부터 편의점엘 갔을라고. 문득 수정은 자신에게 화가 났다. 이제 와서 그녀가 수자일 수는 없었다. 수자여서는 안 된다고 생각했다. 그런데도 묘하게 마음이 흔들렸다.

수정은 비둘기 떼들 속으로 천천히 걸어 들어갔다. 족히 40, 50마리쯤 되어 보였다. 그것들은 수정의 발길에 무신경했다. 빗속에서도 풀밭 위를 쪼느라 여념이 없었다. 젖은 풀밭은 녹색 양탄자처럼 푹신했다. 갑자기 흰 토끼풀꽃과 노란 민들레꽃들이 쑥쑥 솟아난 것 같았다. 그 위로 백일홍 몇 그루가 붉게 서 있고, 그 위로 청단풍과 푸른 소나무가, 또 그 위로는 산딸나무와 벚나무 행렬과 회색 하늘과…… 수정은 어지러워 고갤 떨구었다. 벤치에 앉아 비를 긋고 있는 두 노인이 보였다. 20도쯤 상체를 구부린 장애복지원 입소자들이 그 앞을 일렬로 걸어가고 있었다. 그 너머 도로에는 사납게 질주하는 차량들과 신호등이……. 복잡하고 어수선한 풍경이었다. 어쩐지 수정의 마음속 같았다. 아, 이렇게 복잡하게 섞이는 거지. 날씨 탓이었다. 한차례 흩뿌린 여름비는 폭염으로 달궈진 도시의 열기를 식히기는커녕 더 무덥게 했다. 더웠다. 더운 비였다.

수정이 젖은 풀밭에서 걸어 나와 보도블록에 섰을 때, 과일여자가 눈에 띄었다. 수정은 저도 모르게 큰 소리로 물었다.

"트럭 놔두고 어딜 다녀오세요!"

"아, 배가 아파서."

여자는 손가락으로 공원화장실을 가리키며 걸음을 서둘렀다. 과일 트럭이 신경 쓰이는 모양이었다. 여자가 시야에서 사라지고 나자 비로소 수정은 피트니스로 갈 마음을 다잡았다. 언제 비가 왔냐는 듯 햇빛이 환했다.

*

수정은 집에서 내린 더치커피 한 병과 얼린 생수 하나를 여자에게 건넸다.

"하이고, 뭐 이런 걸 다……."

그런데 정작 여자는 말과 달리 고마운 기색이 아니었다. 마치 가져다주기로 사전에 약속이나 한 것 같은 표정이었다. 그럼 많이 파세요. 수정은 머쓱했다. 그러나 다음 날도 수정은 커피와 함께 얼음 생수 하나를 건넸다. 그 다음 날도……. 운동 가는 길목이었고, 폭염은 끝날 줄 몰랐다. 무더위는 더욱 맹위를 떨쳤다.

일주일째 얼음물을 공급하던 수정은 문득 이게 뭐하는 짓인가 싶어졌다. 당연하게 받아들이는 여자에게 당연하지 않는 것이라고 말해 주고 싶었다. 호의를 베풀수록 수정은 여자 앞에 작아지는 걸 느꼈다. 여자는 수자가 아니다. 수자라 해도, 이건 아니다……. 수정은 『추락』의 루시가 생각났다. 오욕을 견디며 사죄하던 루시. 수정은 그 루시에 대해 여자와 말해 보고 싶었다. 그러나 그녀는 수자가 아니다. 『추락』을 끝까지 읽기나 했을까? 여자는 그저 뻔뻔한 행상인일 뿐이다…….

오후 다섯 시, 수정이 막 귀가하고 났을 때 벨이 울렸다. 도어화면에 트럭 여자가 서 있었다. 수정은 망설였다. 화면이 꺼지고, 벨이 다시 울렸다. 물 좀 주실래요?

문을 열자 여자는 곧장 몸부터 들이밀었다.

"아, 집 좋네요."

여자가 검은 눈알을 굴리며 사방을 휘둘러보았다. 커피 드릴까요? 수정은 불쾌함을 누르고 물었다.

"아, 좋지요."

여자가 큰방과 침실 사이에 놓인 서가 앞에 한참 멈춰 섰다. 책을 훑는 기색이었다. 수정이 냉커피를 식탁에 내려놓고 부를 때까지 여자는 책장 앞에서 꼼짝하지 않았다.

"책이 많네요."

"남편 책이어요."

"그래요?"

수정은 여자가 책을 빌려 달라는 소릴 할까 봐 긴장했다.

"그렇게 트럭 놔둬도 되요?"

"그 까짓것. 집어 가라지 뭐."

트럭 안을 들여다보는 것도 툴툴 난리치던 모습이 떠올랐다. 수정은 얼른 이 여자를 내보내고 싶었다.

"어떻게 우리 집을?"

"그때 수박 갖고 왔었잖아여? 근데, 이 큰 집에서 혼자 사남?"

"무슨. 남편 출장 갔고요, 저 방은 딸 방. 저녁에나 다들 돌아올 거예요."

그렇구나, 하면서도 여자는 의심의 눈초리를 바꾸지 않았다. 다행히 현관엔 남편이 신던 슬리퍼가 놓여 있었다. 아빠 헌 신발 하나 남겨 둬. 빨랫줄에도 옷 한 벌쯤 걸어 두고. 엄마 남자 생길 때까지는 말야. 영지의 전화 코치였다. 여자는 느리게 커피를 마셨고, 다 마시자마자 수정은 물병 하나를 쥐여 주고 쫓아내듯 내보냈다. 여자가 보는 데서 남편의 밤색 가죽 슬리퍼를 가지런히 단속하는 것도 잊지 않았다.

그러나 여자는 다음 날도, 그 다음 날도 찾아왔다. 수정이 막 집에 돌아오는 시각에 맞춰 벨을 눌렀다. 날은 더웠고 더위를 식히고자함이 역력했다. 그 정도는 수정도 나눌 수 있었다. 길 가는 나그네 물 한 잔 먹일 수 있고 밥 한 그릇 동냥하는 이에게⋯⋯. 그렇게 배웠고, 대체로 그렇게 살았다. 그러나 이건 아니지. 수정은 불쾌했고 불안했다.

여자가 네 번째 방문했을 때, 수정은 단호하게 말했다.

"이렇게 불쑥 찾아오지 말아요. 식구들이 알면 안 좋아할 거예요."

문 밖에서 노려보고 있는 여자의 얼굴이 화면에 들어왔다. 수정은 얼른 모니터를 껐다. 여자는 수자가 아니다. 설령 수자일지라도, 관심을 꺼야 해. 괜한 틈을 주었다가는. 수정은 남은 생애 또한 조용히 흘러가길 바랐다. 그럭저럭 평탄한 여생을 살 거였다.

*

트럭이 사라졌다!

수정은 창의 커튼을 걷고 마음껏 창문을 열었다. 습도 높은 더운 바람마저 신선했다. 공원을 둘러싼 나무들의 무성한 잎을 바라보며 수정은 안도했다. 잘됐다. 그러게, 함부로 호의를 베풀다가는 무슨 봉변을 당할지 몰라. 지난 며칠간 수정은 일부러 공원을 빙 에둘러 다녔다. 제 집의 불빛이 여자의 트럭에 가닿는 것조차 싫었다. 그러면서도 일부러 거실과 방 네 개를 번갈아 가며 불을 켰다. 수정은 자기가 딱 부러지게 여자를 내친 것에 만족했다. 이제 여자의 트럭 자리는 비어 있거나 다른 차들이 주차하곤 했다. 여자는 딴 곳으로 옮겨 갔음에 틀림없었다.

수정은 짐을 꾸리기 시작했다. 여자가 사라졌다는 사실이 수정의 어깨에 날개를 달아 준 것 같았다. 영지가 미국에서 일방적으로 예약을 해 줬고, 수정도 더 이상 거절하지 않았다. 혼자 국내여행도 해 본 적 없었기에 사뭇 비장했다.

"좀비마약 무서워서 못 가. 정말 무섭다니깐."

미국에 다녀가라는 영지의 간청에 수정은 매번 같은 대답을 했다.

"미국은 싫다. 왜 그렇게 총기사고도 잘 일어난다니."

"엄마, 이 지구상에 안전한 곳은 없어. 지금 서 있는 곳이 가장 안전할 뿐이야."

수정과 달리 딱 부러지는 딸이었다. 그런 딸이 보고 싶었지만, 아직은 아니었다. 수정은 자신이 좀 더 단단해져야 한다고 생각했다. 그렇게 안 내키면 엄마, 영지는 대안으로 패키지여행을 추천했다. 좀 멀긴 하지만, 엄마에게 잘 맞을 거야. 포르투갈도 끼어 있어. 정서적으로 맞을 거라 확신해.

생애 처음 떠나본 여행치곤 할 만했다. 일행 중에는 수정처럼 혼자 온 여자들이 셋이나 더 있었다. 리스본에서 수정은 그들 셋과 함께 여러 곡의 파두를 들었다. 어릴 적 멋모르고 좋아했던 '어두운 숙명'이나 '검은 돛대'들도. 네 명의 여자들은 헤어질 때 서로 전화번호를 교환했다. 수정은 제 안에 새로운 세계가 열리는 기분이 들었다. 영지가 말한 정서가 무엇이었는지는 잘 알 수 없었지만, 단 한 번의 여행으로도 뭔가 자신감이 차올랐다. 수자 같은 수자 아닌 트럭 여자 따윈 까맣게 잊을 수 있었다.

그러나 여행에서 돌아온 사흘 뒤, 절정을 모르는 듯 여전히 붉은 백일홍 너머에 과일 트럭이 천연덕스럽게 자릴 잡고 있었다.

그걸 발견한 늦은 아침, 수정은 가슴이 뜨악했다. 다시 왔어, 다시! 그렇다고 내가 이렇게 놀랄 건 또 뭐야.

저녁 무렵, 여자가 도어벨을 눌렀을 때, 수정은 없는 척하고 싶었다. 그러나 막 거실 커튼을 친 다음이었다. 거실과 주방에는 불이 환히 밝혀 있었다. 어쩌면 여자는 문단속을 하는 수정의 모습을 다 지켜보고 온 것이지 몰랐다. 한 번쯤 더 호의를 베풀어도 괜찮겠지. 수정은 냉동고 얼음을 떠올리면서 마음을 가다듬었다. 피로가 덜 풀려 몸이 풀썩 내려앉을 것 같았다. 문을 열자, 등 떠밀린 것처럼 여자가 집 안으로 쑥 들어섰다. 본능적으로 수정은 위협을 느꼈다. 나가세요, 경비 부를 거예요. 다시 문을 열고 그렇게 내쫓고 싶은 충동을 느꼈다. 여자는 단숨에 제 플라스틱 슬리퍼를 벗어 들고 한 발 성큼 마루에 올라섰다. 여전히 더러운 맨발이었다. 여자는 새삼스럽게 거실을 휘둘러보았다. 그동안 쭉 지켜본 건 아닐까, 수정은 여자가 의심스러웠다. 언제부터? 아아, 이 여자 뭐야.

"저녁인데도, 커피 마실래요? 얼음물만 드릴까요?"

수정이 제법 침착하게 물었고, 여자는 못 들은 척 무시했다. 어색한 침묵이 잠깐 흘렀다.

"돈이 필요해요. 300만 원만 빌려줘요. 내가 꼭 갚을게."

"네?"

"남편이 사고가 났어요. 폭행시비에 걸려서. 일단 합의금이 필요해요. 급해요……. 우리 남편이 전과가 열넷이어서……."

여자는 얼음물을 벌컥 들이켠 다음 수정을 빤히 바라봤다. 당당하고 무례한, 동시에 낯익은 눈빛이었다.

"그런 돈 없어요. 지금 무슨 소릴 하는 거예요?"

"아, 내가 꼭 갚는다고요. 이 번호로 내일까지 좀 입금. 이거, 내 이름, 최수자."

여자가 작은 메모지를 내밀었다. 그제야 수정은 여자의 말투가 변화무쌍했던 것을 떠올렸다.

그동안 수자는 어떤 삶을 살았을까.

그녀는 수자이면서 또 수자가 아니었다.

*

수정은 300만 원을 송금했다. 고민 끝에 내린 결정이었고, 고민에 답하듯 트럭은 거짓말같이 종적을 감췄다. 그 돈 때문에 그동안 수정의 주변을 서성거린 건 아니었을까 싶을 정도였다. 수정은 빚을 갚은 기분이 들었다. 그렇게 생각하고 싶었다. 그러자 갑자기 집이 부담스러워졌다. 집을 팔고 어디 작은 곳으로 숨고 싶었다. 최 수자가 다시 나타나지 않는다는 보장도 없었다.

트럭이 사라진 공원을 지날 때마다 정말 수자였을까, 수정은 혼란스러웠다. 다시 만날 일 없기를 바랐다. 기억 속 수자는 그런 괴물이 아니었다. 아니, 어쩌면 나 또한 그 옛날 이미 괴물이 아니었을까? 수정은 16살 친구에게 했던 자신의 말을 반추하곤 했다. 가려면 혼자 가, 당당하게. 이제 무소의 뿔처럼 혼자 가야 할 사람은 수정 자신이었다. 기억이 꼬리를 물고 이어졌다.

에이, 이리 줘.

가위바위보에서 진 사람이 다음 전봇대 나올 때까지 가방 들어 주자는 건 말뿐이었다. 두어 걸음도 못 가서 수자는 제 가방 위에 수정의 가방을 들쳐 멨다. 해가 긴긴 여름날, 하굣길은 왜 그리 멀고 힘들었는지. 더위에 할딱이면서도 수자는 수정의 책가방을 들어 주길 고집했다. 수자는 길게 늘어뜨린 그림자처럼 수정의 곁을 떠나지 않았다. 그렇게 초등학교를 보내고 같은 여중학교에 입학했을 때, 누구보다 수자가 기뻐했다. 그리고 둘 사이에 장벽 같은 지영이 있었다. 지영이 죽은 지 오래란 걸 수자는 알고나 있을까. 중2 늦가을, 수자는 고백했다.

넌 보호 본능을 불러일으켜.

수자는 수정의 손을 잡으며 얼굴이 붉어졌고, 수정은 축축해진 손을 슬그머니 뺐다.

가위바위보!

작은 두 소녀의 음성이 나지막이 들려왔다.

거실은 터무니없이 크고, 다시 적막해졌다. 아침부터 더운 공기가 가스처럼 들어차고 있었다. 여름 태양은 오늘도 집요할 것이다. 수정은 뻑뻑한 허리를 곧추세우며 창가로 갔다. 커튼을 벽 쪽으로 걷어 냈을 때, 그녀는 심장이 쿵쾅거리는 소리를 들어야 했다.

창 밖에 과일트럭이 다시 보였다!

마지막 담배

산골짜기 쓸쓸한 주막에 병든 노파가 밥을 파는데, 벌레와 모래를 섞어 찐 듯하다. 반찬은 짜고 비리며, 김치는 시어 터졌다. 그저 몸 생각하여 억지로 삼켰다. 구역질이 나오는 것을 참자니 먹은 것이 위에 얹혀 내려가지 않는다. 수저를 놓자마자 바로 한 대를 피우니, 생강과 계피를 먹은 듯하다.

– 이옥, 『연경, 담배의 모든 것』

1

김은 한빛장례식장을 들어서기 전에 담배 한 갑을 샀다. 이것으로 끝이군. 지난 2개월간 금연을 위해 고군분투했던 모든 것이 이 순간 끝장이란 걸 그는 받아들였다. 박씨랑 맞담배 피던 시간이 그래도 좋았다. 박씨가 왜 그 백주대낮에 혼자서 7번 국도를 달렸는지, P읍내로 진입하는 한적한 국도에서 논바닥으로 굴러 버렸는지 그는 이해할 수 있었다. 아니, 이해하고 싶었을 뿐, 정말 이해한 것은 아니었다. 한 사람을 이해하는 일이 가능하기는 할까. 평소 그는 박씨를 잘 알지 못한다고 생각했다. 그런데 문득 그를 다 이해할 것 같은 기분이 들었다. 그 사실에 잠시 의아했다. 아시지요? 박씨가 영정사진 속에서 그를 향해 설핏 웃어 보였다. 두툼한 구식 검정 안경테 속에서 박씨의 두 눈이 정말 다정하게 미소 지었다.

대체로 박씨는 침울한 편이었다. 누군가와 말을 섞는 모습도 흔치 않았으며 세상 모든 것에 무신경해 보였다. 냉담한 기류를 풍겼다. 김은 그런 박씨를 새 파트너로 삼을 것인지 꽤 망설였다. 2년을 함께한 파트너가 개인택시를 사서 떠나버리자 김은 조금 낙심했다. 혼자 뛸까를 진지하게 생각해 보기도 했다. 전일제로 뛰다가 위경련을 앓고서 욕심을 내려놓자고 결심한 것이 몇 년 되지 않았다. 배차부장이 당분간만, 이라는 조건을 달지 않았다면, 집이 박씨와 같은 방향이라 해도 응하지 않았을 것이다. 그 '당분간'이 이런 식이 될 줄은 몰랐다.

졸음운전에 따른 개인과실. 박씨의 죽음은 그렇게 처리되었다. 김은 왠지 억울했다. 이러저러한 죽음에 익숙해진 나이였지만 억울한 감정이 사그라지질 않았다. 억울해하는 자신을 스스로도 납득하지 못했다. 물론 박씨의 죽음을 추정해 보는 것이 어렵지는 않았다. 그 또한 여러 번 위기를 겪었던 것이다. 시내를 벗어나 시외로 혼자 내달리는 자신을 발견하고 그는 깜짝깜짝 놀라곤 했다. 가파른 언덕길을 내려올 때면 그대로 곤두박질치고 싶은 충동과 싸웠다. 그는 논두렁 가나 야산 입구에 멈춰 숨을 골랐다. 담배꽁초라도 눈에 띄나 두리번거렸고 마른 풀이라도 한 움큼 뜯어 흡입하고 싶었다. 두통과 불면, 식욕 부진이 쉽게 멈추지 않았다. 어느 날 귀가하자마자 김은 저도 모르게 아들의 뺨을 후려치고 말았다.

"아직도 피워! 대가리에 피도 안 마른 녀석이."

제 방에서 느리게 기어 나와 인사하는 막내 녀석에게서 그리운 담배 냄새를 훅 맡은 다음이었다. 4,500원 담뱃값이 무서워 생목숨을 도로에 내놓고 후덜덜 운전하던 그로선 대학생 아들 녀석이 버젓이 담배를 피운다는 사실에 새삼 울화가 치밀었다. 그 마약 같은 것이 아들 입에 달라붙어 대물림할 것 같았다. 기생충 같은 녀석. 그렇게 욕을 하고 나자 정말로 제 아들들이 기생충처럼 평생 밑바닥에서 기며 살까 봐 무서워졌다. 점점 흡연자는 미개하거나 시대착오적인 종자로 취급받고 있었다. 어디서도 환영받지 못할 존재. 무엇보다도 의지박약한 중독자라는 인상만은 피할 수 없을 것이다.

승객들은 40여 년 골초인 그를 벌레 보듯, 무슨 바이러스 감염자 대하듯 했다. 담배 냄새를 제거하기 위해 수시로 가글을 하고 입던 옷을 털고 창문을 열었지만 승객들은 인상을 찌푸렸다.

탑승했다가 다시 차에서 내리는 이도 드물지 않았다. 그 모든 질시와 눈총을 견디며 택시를 몰았던 그를 금연하게 만든 것은 두 배로 껑충 뛴 담뱃값이었다. 돈이야말로, 귀신이나 테러보다 더 무섭고 힘센 그 무엇이었다. 하루 한 갑만 피워도 한 달에 15만 원이었다. 그동안 김밥 두 줄로 끼니를 때우며 담배를 피웠던 그로서는 더럽다! 더러워서 끊는다! 하고 정말 끊는 수밖에 없었다. 3D업종 중 하나라고 자조하면서도 택시 기사들의 숫자는 줄지 않았다. 내린 유가에도 불구하고 지난달 그의 수입은 바닥이었다. 그런데도 그는 계속 빈 차를 끌고 시외로 빠져나가곤 했다. 담배를 끊자 일어난 현상이었다.

그를 견디게 한 것은 엉뚱한 오기였다. 손님이 앞에서 손짓을 하는데도 못 본 척, 유유히 지나치기도 했다. 뭐야, 뭐. 승차거부야! 욕설이 들렸다.

나도 승차거부다! 김은 웃음이 실실 나왔다. 하늘이 흔들거렸다. 제 정신인가, 의심스러웠다가도 이내 기고만장해졌다. 니코틴 공급이 끊긴 육체는 일상에서 반란을 일으키며 오작동을 일삼았다. 무기력하고 우울한 기분은 초조와 불안으로 이어졌다가 그것을 극복하려는 의지와 충돌했다. 신경은 날카로운 유리 조각 같았고, 평화는 그 유리 파편 위에서 위태로웠다.

예상치 못한 싸대기를 맞고 아들은 고갤 숙였다. 어색한 침묵이 흘렀다. 김은 당황했고, 하마터면 미안하다고 사과할 뻔했다.

"저도 이번 공모전만 끝나면 생각해 볼게요. 지금은 안 된다고요."

맞은 뺨을 한 손으로 쓸어내리며 아들은 단호하게 선을 그었다. 먼저 입을 열어 준 것이 고마웠다. 군대까지 갔다 온 놈을 닦달하다니. 김은 가슴을 쓸어내렸다. 그동안, 애비 닮아서 우리 자식들은 다들 안 피우는 담배를 피운다고 아내가 푸념할 때도 그는 끄덕하지 않았다. 중3 때 아버지한테 허리띠로 맞았던 기억이 떠올랐다. 정작 고등학교 시절에는, 아껴 피워라, 하며 어머니가 담배를 사다 주기도 했다. 그가 담배를 줄이려 애쓰거나 술이라도 입에 대지 않으려 노력했던 것은 다 어머니의 사랑 때문이었다. 무릇 부모라면 그 정도는 되어야지 않겠는가. 그러나, 그래서, 그가 평생 담배를 물고 살았다면, 자신만은 더욱더 단호하게 자식들을 말려야 하지 않겠는가. 김은 고개를 저었다. 제 풀에 끊기를 바랄 뿐이었다.

선뜻 자리에서 일어날 수 없었다. 김은 기름 둥둥 뜬 뻘건 육개장을 천천히 떠먹었다. 마른 편육에 소주 두 잔을 느리게 자작했다. 여전히 아는 얼굴은 보이지 않았다. 회사 사람들은 다녀갔을까. 문득 박씨와 맞담배를 피우고 싶었다. 그는 빈소로 다시 들어갔다. 불붙인 담배를 제단 위에 올려놓았다. 영정사진 속에서 박씨가 싱긋 미소 지었다. 그는 접객실을 나와 곧장 흡연실로 향했다. 옆 호실 조문객 일행이 인상을 찌푸리며 그를 피해 지나갔다.

"저, 뭐 좀 상의 드릴라는디요."

흡연실에서 나왔을 때, 박씨의 부인이 기다리고 있었다. 강한 사투리 때문인지 박씨와 어울리지 않는 인상이었다. 김은 비로소 그녀 얼굴을 제대로 바라보았다. 실핏줄이 터진 한쪽 눈이 붉게 충혈 되어 있었다. 펌이 풀린 단발은 어수선해 보였다.

그녀는 박씨가 자신의 유골을 담배 밭에 뿌려 달라고 했다면서, 그 밭이 어딘지 아느냐고 물었다. 김은 잠깐 머뭇거렸다. 밭이라면, 딱 한 번 가 본 것뿐이었다. 그날, 함께 가주었더라면. 잠깐 밭을 둘러보고 두릅전에 막걸리 한 잔 걸치자던 그의 제안을 들어주었더라면. 그러나 그날 김은 얼른 집에 가서 발 뻗고 눈 붙일 생각뿐이었다. 다음 날 새벽 교대시간에야 김은 사고 소식을 들었다.

"화순 운주사 쪽으로 가면 이정표가…"

김은 더듬더듬 장소를 설명했다.

"알겠구만이라."

설명이 채 끝나기도 전에 박씨 부인은 서둘러 돌아갔다. 상의라기보다는 일방적인 질문이었다. 친인척으로 보이는 사람들이 몇몇 테이블을 차지하고 있을 뿐, 접객실은 텅 비어 바쁠 게 없어 보였다. 그저 황망한 듯했다. 내일 모레가 발인이니 난감했을 것이다. 그녀는 김을 자신의 남편과 가장 가까운 사이로 생각한 것 같았다.

어쩌면 꽤 맞는 추측이었다. 최소한 그 밭에 관해서는.

2

박씨와 급격히 가까워진 것은 담배 때문이었다.

교대하기로 한 오후 네 시의 어느 날, 비가 잠깐 내렸다 멈춘 거리는 겨울답지 않게 온화했다. 구정이 막 지난 도로는 여느 때보다 더 한산했다. 박씨의 아파트 입구에 차를 세운 김은 잠깐 멈춰 서서 호주머니에 남은 돗대 하나를 만지작거리며 갈등했다. 그동안 사재기해 둔 담배를 야금야금 아껴 피우는 중이었다. 마지막 한 개비였다. 그걸로 그는 금연하기로 되어 있었다.

"바쁘시오?"

조금 늦게 나타난 박씨가 김의 어깨를 잡았다. 평소 안 하던 행동이었다. 자신도 어색한 듯 얼른 팔을 거둔 박씨는 김에게 담배 한 개비를 내밀었다. 두 사람은 아파트 상가 모퉁이를 돌아 은행나무 아래로 걸어갔다. 어때요? 하는 표정으로 박씨가 바라봤다.

"수입 담배인가요?"

"뭐 그렇다고도…"

박씨는 긍정도 부정도 하지 않았다. 수입 담배가 국산 소비량을 추월했다는 소식은 이미 오래전 사실이었다.

"그런데, 담배 태우나요? 한 번도 피는 걸 못 봤는데?"

박씨는 담배 냄새가 싫다는 듯 흡연자들에게서 멀찌감치 떨어져 있곤 했다. 차 한 대를 나눠 쓰는 처지라 김은 그와 교대시간이 가까워지면 신경을 두 배로 썼다. 탈취제를 새로 뿌리거나 얼굴이 얼얼해지도록 창문을 연 채 주행하기도 했다.

김은 박씨가 건네준 담배를 필터 가까이 살뜰하게 피웠다. 평소 피는 골드보다 진하고 썼지만 뜻밖에 목 넘김이 부드러웠고 잔향 또한 나쁘지 않았다. 그러고 보니, 담배 모양새가 좀 엉성했다.

"이거 직접 만든 거요?"

"끊었는데. 끊은 지 한참 되었는데, 어째 다시 피고 싶어져서요."

"헐, 다들 끊는 세상에 뭐 하러 피워요? 못 끊어서 탈이지. 나도 미련 없이 끊을 참이오. 실은 오늘로 마지막인 거 같아요, 이 담배."

"끊었다 이었다 하죠, 뭐. 담배 끊는 것처럼 쉬운 게 또 어딨소? 나도 스무 번은 끊었구랴. 하하하."

제 농담이 유쾌한지 박씨는 눈물이 그렁할 정도로 웃었다.

"말이 나왔으니 말인데, 내가 제일 좋아하는 작가가 있어요, 『왕자와 거지』를 쓴 미국 작가 말이죠. 여덟 살 때부터 피우기 시작한 골초였는데 일흔네 살까지 계속 피우고도 건강했다지 뭐요? 난 딱 그렇게만 살고 싶소."

뭐야, 이 사람? 김은 뜨악한 표정을 지었다.

"하루 아홉 갑씩 핀 우리나라 시인도 있었죠. 하, 그분이라면 요즘 저승에서도 쫓아올 것 같은데…. 그런데 저승이 따로 있는 건 아닌가 보오, 조용한 걸 보면. 내 생각엔 말이오, 그러니까, 담배에 들어있는 그 수천 가지 독성보다 더 무서운 건 말이죠….음, 세계보건기구 발표에 의하면 프라이드치킨 한 조각이 담배 60개비의 독성과 맞먹는다는데, 어째 그런 사실은 금방 묻히고 마는지. 이쯤 되면 우리 너무 물 먹이는 거 아니오?"

"허, 이 사람, 틀려먹었네. 끊기는커녕 더 피울 기세네."

"하하, 끊었던 담배를 잇고 보니 요즘 내 하루가 말이죠, 다시 태어난 것 같다, 이 말입니다."

말이 없던 평소의 박씨가 아니었다. 김은 멍하니 그를 바라봤다.

"내가 담배를 배운 건 순전히 망할 놈의 군대 때문이었죠. 작업하던 중 상병 왈, 담배 필 놈은 올라와 쉬고 안 필 놈은 계속 삽질해, 딱 이 한마디에 내 인생에서 담배가 시작됐단 말입니다. 그런데 말이죠. 이제 보니 또 담배만 한 것이 없어요. 담배가 없었다면 내가 지금까지 살 수 있었을까, 담배 덕에 우여곡절 산 목숨이니깐요."

그의 한 시절 어떤 막장이 느껴졌다. 담배를 한 모금 깊숙이 빨아 내뱉던 박씨는 토하듯 기침을 해댔다. 거참, 이 마누라님이 또 왜 이러실까. 기침이 멈추자 중얼거렸다. 담배 연기를 두고 하는 농이었다.

그 후로 김은 박씨가 직접 말아온 담배를 몇 차례 더 얻어 피웠다. 그러나 그 기간은 얼마 되지 않았다. 김의 금연의지를 방해하지 않겠다는 배려인지 박씨 또한 여력이 되지 않은 탓인지(기

침 탓에 자제하는 것 같기도 했다.) 한동안 그는 담배를 거론하지
않았다.

　그러고는 어느 날이었다.
　박씨가 평소보다 일찍 나와 기다리고 있었다. 다른 때보다 상
기된 표정이었다.
　"가마우지 낚시라고 들어봤소?"
　"가마우지요?"
　"검은 잿빛에 작고 보잘 것 없는 날개를 가진 새라오. 이 가마
우지 목에 밧줄을 걸은 뒤 풀어놓아 물고기를 잡게 하지요. 그 다
음, 잽싸게 밧줄을 잡아당겨 잡은 물고기를 다시 다 토해 내게 하
는 낚싯법인데, 어째 그 가마우지가 요즘 생각나는지 모르겠소."
　교대인사를 하고 돌아서기엔 박씨의 표정이 진지했다.
　"언젠가 텔레비전에서도 방영되었는데, 사람을 공격하지 못
하도록 주둥이를 갈고, 날지 못하게 깃털을 잘라내고 훈련까지
시키던 걸요…. 우리 신세가 그 가마우지 같은 거 아닌가 몰라."
　김은 멀뚱하게 박씨를 바라보았다. 잘 이해하기 힘든 사람이
었다. 그럼 수고하십시오! 그만 돌아서려는 김의 팔을 박씨가 잡
았다.
　"김씨, 내가 좋은 데 데리고 갈게요. 시간 좀 되오?"
　박씨의 눈이 반짝하고 빛났다. 볼살이 빠진 탓에 눈이 더 커보
였다. 김은 잠깐 망설이다 체념한 듯 조수석으로 옮겨 앉았다. 집

에 가더라도 쉽게 잠들지 못할 것이었다. 반만 뜬 눈으로 그는 창밖을 바라봤다. 꽃 진 벚나무들이 벌써 잎을 틔우고 있었다. 짙어지기 시작한 신록이 새삼스러웠다. 이제껏 봄마저 잊고 지냈단 걸 떠올리며 김은 의자를 한껏 뒤로 밀쳤다. 지금 내가 뭐하고 있나. 다시 신경이 곤두섰다. 그러나 그냥 이대로가 나았다. 그는 언제부턴가 박씨와 함께 있는 시간이 편해졌다.

차는 운주사를 지나 왼쪽 농로를 따라 한참을 내달렸다. 박씨가 막다른 야산 앞에 차를 세웠을 때는 해가 뉘엿뉘엿 지기 시작했다. 꾀꼬리 울음소리가 들려왔다. 김은 두리번거렸다. 때늦은 산수유 한 그루가 노랗게 서 있는 것이 보였다. 달리 눈에 띄는 건 없었다.

"바로 저기요, 저기."

비닐에 덮인 이랑을 가리켰다. 막 개토한 것인지 이랑 사이의 흙이 비옥해보였다.

"뭘 심은 게요?"

"하하. 내가 담배 농사 좀 지어 보려고요."

"그러고 보니 부자시네요, 이런 곳에 땅도 있고?"

"땅은 무슨. 겨우 100평 빌린 거요. 내가 올 가을엔 봉초 한 무더기 줄 테니 기대해 보시오."

"개인이 재배해도 되나요?"

"이것이 뭐 대마도 아니고, 판매만 아니면 아무 상관없어요."

"그렇지만 보통 복잡할 것이 아닐 텐데."

"이참에 담배 농사 한 번 배워 보려고요. 담배 고픈 사람들한테 공짜로 제공도 하구요."

"허, 공짜로 퍼 준다고 칭찬 받을 일이오? 끊는 것이 답이지."

알 수 없는 사람이었다. 무슨 일을 하다 이 택시까지 흘러 들어왔는지 김은 궁금했다. 먹물깨나 먹은 사람 같았지만 엉뚱한 발상을 생각하면 좀 아니지 싶었다. 잡초제거와 비료주기 등 작물 돌보기가 만만치 않을 거였다. 수확 후 작업은 또 어떻게 감당할 것인지. 김은 답답한 마음으로 밭을 바라보았다. 새 투명비닐로 입혀진 밭은 단정해 보였다.

"언제 저 작업을 다 하셨소? 설마 혼자 하신 게요?"

"눈이 게으른 거죠."

까맣게 탄 그의 얼굴이 비로소 눈에 들어왔다. 칼같이 교대 시간을 지키던 그가 언제부턴가 자주 늦었고 피곤한 기색을 보이곤 했다.

"일일이 이랑을 덮어 줘야 해요, 웬만큼 성장할 때까지는. 냉해 피해도 막고, 잡초가 위로 올라오지 못하도록 말이죠. 꼭 사람 농사하고 똑같아요…. 실은 내가 농사라곤 아무것도 모르지만, 내 남은 삶은 이 흙에서 끝내고 싶단 생각이오."

박씨는 시원스럽게 웃어보였다. 처음 보는 환한 웃음이었다.

"요 작은 잎에서도 담뱃진이 그대로 느껴져요."

벌써 담뱃진이? 김은 어쩐지 박씨의 몸짓과 표정이 모두 객기로 보였다. 들춰 본 비닐을 바로잡으며 박씨가 진지하게 말했다.

"금방 어른 주먹 크기로 자라 올라요. 그러면 포기마다 비닐에 구멍을 뚫어줘야지요. 숨구멍을 녀석들에게…. 나는 벌써부터 자식 키우는 재미가 쏠쏠하다오. 김씨도 함께하시렵니까?"

박씨의 눈빛은 뜨거웠다. 김은 고갤 저었다. 농사라니, 그것도 담배 농사라니. 그는 거듭 고갤 내저었다.

3

반차를 일차로 전환했을 뿐, 김은 몰던 차를 그대로 유지했다. 다시 새로운 사람과 조를 짜서 움직이는 것이 도무지 내키지 않았다. 사납금이 부담되었지만 밤늦게까지 돌다보면 수입은 더 나아질 거였다. 몇 년 만 운전에 더 매달리자고 김은 각오를 새로이 했다. 그러나 의지와 달리 자꾸 도심외곽으로 빠지곤 했다. 이번엔 창문을 내리고 담배를 꼬나문 채였다. 그렇게 푸른 들판을 한바탕 달리지 못한 날은 잠이 오지 않았다.

그는 틈만 나면 화순이나, 담양, 곡성 등지를 달렸다. 달아나고 싶어 하늘 높이 날다가도 얼레를 감으면 돌아와야 하는 연처럼, 그는 멀리가지 못했다. 최소한 사납금은 채워야 했다. 김은 박씨가 사망사고를 내기 전에 일주일 간격으로 24시간 연속근무를 두 번이나 했던 것을 알고 있었다. 25일 만근을 하지 않는 경우 사납금 상당액을 공제해야 했다. 그 또한 가장이었던 것이다.

바보 같으니라고. 미친! 헛똑똑이! 박의 커다란 눈이 떠올랐다. 깊고 검은, 우울한 눈이었다.

좁은 농로를 따라 끝까지 달리다가 막다른 지점에 이르러서야 김은 별수 없이 택시에서 내렸다. 그럴 때면, 아무도 없는 산야에 대고 소리쳤다. 미친 개새끼! 죽어버린 박씨에게인지 저 자신에게인지 알 수 없었다.

욕설이 호명한 것처럼 박씨의 얼굴이 어른거렸다.

사납금을 채우지 못한 날도 담배만큼은 끊지 않았다. 택시 일이 그래도 좋았던 것은 호주머니에서 돈이 떨어지지 않는다는 점이었다. 그것이 골초로 가는 길이었지만, 어쨌든 담배 하나와 달달하고 진한 자판기커피 한 잔이면 두어 시간은 행복했다. 그렇게 버틴 인생이었다. 58년 개띠, 그의 적지 않은 인생에서 제대로 담배를 끊어 본 것은 이번이 최초였다. 오직 담뱃값 때문에! 용케 두 달을 버텼으니 그로서는 인간승리였다.

빌어먹을!

다 소용없는 일이었다. 김은 자신의 노력이 아무짝에도 쓸모없는 짓이었다는 걸 알았다. 금단 현상과 싸웠던 지난 시간이 보람되기보다는 어쩐지 치욕스러웠다. 제 인생이 송두리째 부정당한 것처럼 억울했다. 허무하기 이를 데 없었다.

늘그막 사춘기인가, 이 뭔 지랄인가.

차츰 그는 같은 코스로 액셀을 밟았다. 해가 질 무렵이면, 마치 운주사에 손님이라도 태워 주고 오는 것처럼 되돌아 나왔다.

김의 이상한 충동과 기행은 마침내 박씨의 텃밭에서 멈췄다.

박씨가 죽은 지 보름 만이었다.

4

봄눈 녹듯, 봄은 짧았다.

오늘도 김은 담배 밭으로 달려갔다. 한 차례 다녀오지 않으면 다른 일이 손에 잡히지 않았다. 무성하게 자란 시푸른 담뱃잎들을 보고 오는 것만으로도 그는 몸 곳곳에서 생기가 일었다.

보고 있소, 박씨?

김은 잘 자란 담뱃잎들이 자랑스러웠다.

어제 복토를 마쳤어요. 한번 보러 가지 않을 테요? 오는 길에 우리, 두릅전에 막걸리 한잔 하십시다.

그날, 박씨 또한 자식 자랑하듯 밭을 보여 주고 싶어 했다. 그 새 한 뼘은 자라 올랐을 파릇한 담뱃잎을 혼자 보기 아까웠을 것이다. 그를 따라가 주었더라면. 그날, 그를 혼자 가게 하지 않았더라면. 그는 죽지 않았을지 모른다.

김은 장갑 낀 손으로 연신 이마의 땀을 닦았다. 6월 초인데도 날씨는 한여름 땡볕이었다. 가지치기라도 하나 해 볼까, 이랑 사이로 들어가면 땀이 먼저 얼굴을 덮었다. 밭일은 진전이 없었다. 그런데도 담배는 잘 자라 줬다. 일조량 덕분이었지만, 그는 박씨가 돌보고 있다는 느낌이 들었다.

나팔 모양 길쭉한 꽃들이 벌써 입술을 내밀기 시작했다. 밭이랑을 지나는 김에게 분홍 꽃들이 저마다 속삭였다.

꽃 한 송이가 낳은 씨앗이 무려 이천여 개라오. 담배씨가 얼마나 작냐면, 콧김에도 날아갈 정도죠. 이제 내년엔 많이 나눠 줄 거요. 나도 무료로 받았는데 갚아야죠.

박씨의 음성이었다. 김은 그가 몹시 보고 싶었다. 겨우 몇 달 새에 이토록 우리가 가까워지다니. 꽃을 바라보며 감상에 젖어들던 그는 우뚝 멈춰 섰다. 잎이 밑동에서부터 노랗게 물들고 있었다. 퍼뜩 정신이 들었다. 지금부터가 문제였다. 그동안 혼자 물을 대고 잡초를 뽑았다. 틈틈이 해 주었던 가지치기 따위는 그럭저럭 할 만했다. 그러나 잎을 따는 작업은… 서둘러야 했다. 그렇지 않으면 금방 너도나도 노랗게 물들 것이다. 김은 긴장했다. 작은 건조장부터 마련하지 않고서는…. 난감했다.

빼도 박도 못하게 담배 밭에 갇힌 형국이라니.

죽어버린 박씨가 원망스러웠다. 그러나 곧장 그는 머리를 흔들었다. 누가 떠맡긴 것이 아니었다. 담배 밭에 애착을 갖는 자신을 부인하려 애썼지만 이미 늦은 일이었다. 그는 담뱃잎 하나를 따내어 킁킁거렸다.

5

은행나무는 암수 두 그루였다. 김은 박씨와 처음 맞담배를 피운 나무 아래에서 느리게 담배를 피웠다. 잠긴 목을 가다듬었다. 새벽에 다녀온 밭이 눈에 선했다. 푸른 산등성 아래 잘 자란 담배 포기들은 사열을 기다리는 병사처럼 위풍당당했다. 새삼 가슴이 뻐근했다. 그는 괜히 근처에 만개한 개망초에다 시선을 돌리기도 했다.

김은 다시 한 번 목을 가다듬었다. 마침내 박의 부인한테 전화를 걸었다. 수확기가 다가왔는데 저리 놔둘 것인지, 돕겠다고 말했다. 여러 날 생각한 결론이었다.

"기냥 내버려두세요. 그놈의 담배 맹그러서 뭐하게요… 그 냥반이나 원 없이 놈의 땅속에서 담뱃진 뽈아묵으라카게."

밭 이야기에 그녀는 발끈했다. 박씨 유언을 지킨 것을 실수라고 생각하는 걸까. 남의 밭에 유골을 뿌려 놓은 것이 개운하지 않은 모양이었다. 김은 이해받지 못한 자의 외로움이 떠올랐다.

함께 밭 구경을 하고 돌아오던 날 박씨는 많은 말을 했다.

"내 아내가 날 떠난 이유가 말이죠, 담배가 싫어서라요. 하하. 말이 되요? 담배가 싫어서. 아내가 떠난 후 실제로 난 담배를 끊어 보기도 했지요, 내가 싫어서. 정말 내가 싫더라고요… 그런데, 오히려 그 담배가 날 살게 했어요. 거 알잖소, 극하게 흥분해서 사고치게 될 때 담배 한 대가 위기를 넘겨주는 경우들을… 아무튼 지금 여자 만나서… 정말 그동안은 끊었다오. 그런데…"

기침 때문에 자주 말이 끊겼다. 박씨는 숨을 고르면서 다시 제 말을 이어갔다. 그런 박씨에게서 김은 뜻밖에 마라토너가 연상되었다. 넘어져도 다시 일어나 끝까지 달리려는 자. 그는 내부고발자로 낙인찍혀 직장을 잃었다고 했다. 서른넷, 젊은 나이였다. 전도유망한 공기업의 연구기관에서 한 번 추방당하자, 어느 곳에서도 그는 환영받지 못했다.

"겁이 없었지요. 다시는 일어서지 못하게 짓밟혔단 걸 그땐 몰랐소. 후회도 했지요. 그런데 이 나이가 되고 보니 꼭 후회스런 일만도 아니란 생각을 하게 되오. 다시 겁대가리가 없어진 건가요? 하하하."

박씨는 확실히 말이 많아졌고 활기차보였다. 김은 그런 박씨가 한편으론 보기 좋았다. 그를 이해하기는 어려웠지만, 늘그막에 친구 하나 사귀는가 싶었다.

싱거운 사람! 그렇게 쉽게 갈 줄 몰랐다. 나쁜 사람 같으니라고!

김은 외로웠다. 그래도 나는 번듯한 자식과 아내가 있지 않는가. 장성한 두 아들과 백년해로할 것임에 틀림없는 아내가. 그러나 그 생각은 전혀 도움이 되지 않았다. 그는 더욱 외롭고 쓸쓸해졌다. 문득 고독이란 죽음과도 같다는 생각이 들었다. 피할 수 없다는 점에서. 그걸 박씨가 가르쳐 주고 간 것 같았다.

우수수, 담뱃잎들이 술렁거렸다. 무성한 잎사귀 사이에서 박씨가 불쑥 튀어나와, 이보시오, 김씨! 하고 어깨를 흔들었다. 힘들지요? 김은 두리번거렸다. 예쁘잖소? 이거 만들기 어렵지 않아요. 잎사귀 말려서 숙성시키는 거가 좀 품이 들지만, 파는 거보다 더 깨끗한 담배 만들 수 있어요. 박씨가 그를 격려했다. 내가 이렇게 잎사귀 뜯어서 줄줄이 엮어 매달아 봤소. 자 보오, 금세 햇볕에 건조되지요? 이번엔 누런 잎사귀들이 바람에 하늘거렸다.

꿈속까지 나타나다니. 김은 의자 등받이를 바르게 세우고 정신을 가다듬었다. 문득 서둘러야겠다는 생각이 들었다. 당장 회사에 월차를 냈다. 작은아들에게도 문자를 보냈다.

'내일 하루만 시간 비워라. 오늘 저녁에도 좀 일찍 들어오고.'

아들은 한 시간 후에야 느리게 반응했다.

'왜요?'

김은 아들의 문자를 씹었다. '이 애비가 농사지었다, 담배 농사를. 그러니 담뱃잎을 따야 한다.' 이보다 더 긴 말이 오가야할 것이 틀림없었다. 그는 장갑과 모자, 작업복과 김장용 봉투, 비닐 끈 등을 챙겨 차 트렁크에 실었다. 내일 하루 시험 삼아 작업해 보고 인부를 살 것인지 결정할 생각이었다. 아쉬운 대로 우선 베란다 건조대와 주택 사는 여동생네 마당을 빌려 볼 생각이었다. 약 한 번 하지 않았는데 잘 자라 준 대견스런 담뱃잎들이었다. 절대 내팽개칠 수는 없었다.

아버지의 침묵이 걸렸는지 아들은 생각보다 일찍 귀가했다.

"아빠, 그렇게 힘들게 안 하셔도 돼요. 잎담배만 사서 만들어 피우는 게 훨씬 낫죠, 그 일을 어떻게 하신다고요. 그렇게 만들어 피우는 애들 많아요. 100g에 9,000원이면 사요. 솔잎 좀 섞으면 더 순해지고요, 얼마든지 건강에 좋은 담배 만들 수 있어요."

"시끄럽다. 뭔 시간이 남아서 만들어서 피우냐. 너는 언제 끊을 거야. 이 애비처럼 중독된다, 하루라도 빨리 끊어!"

제 언행이 모순된 것 같았지만 할 수 없었다. 우선 급한 불부터 꺼야 했다. 집사람 도움을 받으면 좀 좋으련만. 평생 살 붙이고 산 처지여도 그건 언감생심이었다. 아들은 말과 달리 선선히 따라나서겠다고 했다. 김이 자신의 일로 아들에게 부탁해 보긴 처음이었다.

어쩌면 내일 당장 비닐하우스라도 알아봐야 할지.

김은 생각이 많았다. 어떻게든 시작은 해 봐야했다.

6

밭에 들어선 김은 깜짝 놀랐다.

하루아침에 천지가 개벽하지 않고서야… 그는 두리번거렸다. 잘못 찾아온 것인가. 밭은 완전히 뒤엎어져 있었다. 담뱃대들이 무더기무더기 흙을 뒤집어쓴 채 시체처럼 쌓여 있었다. 물기를 머금은 밭은 촉촉했다. 흙이 드러난 맨 얼굴의 밭은 협소하기 그지없었다. 저 작은 땅이 그토록 많은 잎사귀들과 꽃을 담고 있었던가.

김은 정신없이 내달리기 시작했다. 가장 가까운 마을로 내려가 다짜고짜 땅임자를 찾아냈다.

"배추랑 가을무 씨라도 뿌릴까 하고 갈아엎었소만."

땅주인은 덤덤하게 말했다. 자신과 엇비슷한 연배로 보였다. 담배 밭까지 따라와 준 성의를 떠올리면서도 김은 흥분을 가라앉히지 못했다.

"두 눈 버젓이 뜨고도 갈아엎어요? 이제 수확기인데 누구 맘대로!"

"허, 그 쪼금 지어서 뭘 어쩌자고요. 곧 장마도 온다던데, 전용 건조기라도 있소? 배보다 배꼽이 더 크단 말이요. 죽은 그 양반, 하도 사정하길래 주말농장처럼 뭐 좋은 거나 심을 줄 알았더니."

"그렇다고! 아무리 죽은 사람이라도 엄연히 계약기간이란 것이 있소. 내 이대로 가만 안 둘 거요!"

"허, 고소라도 할라요? 무슨 기관에서도 자꾸 연락 오는 바람에… 그만 잊어버리쇼, 헛심 빼지 말고. 죽은 양반하고 어떤 사이인지 몰라도, 넘 서운하게 생각 마시오."

눈에 질끈 힘을 주었다. 당장 주먹이라도 날릴 기세로 땅 임자를 노려보던 김은 결국 담배 한 대를 꺼내 물었다. 격한 감정이 조금씩 가라앉았다. 늦여름 아침 해가 뜨거워지기 시작했고, 밭이랑 끝에 두 포기의 담배가 꽃을 매단 채 서 있었다. 아침 햇빛을 받은 연분홍 꽃이 화사하게 반짝거렸다. 차마 다 베어 버리지 못한 땅주인의 마음이 전해져 왔다.

"담배 사업법이 갈수록 애매해지고 있단 말이요. 이젠 사적으로 재배해 만든 담배를 그냥 주는 거도 다 위법이라나… 아, 그런 거 다 떠나서, 지금 형씨처럼 해서는 암껏도 안 된단 말이오, 재미삼아 꽃이나 본다고 키우믄 모를까."

김은 입술을 지그시 깨물었다. 저 자신도 어쩌지 못할 애물단지였다. 그 덥고, 끈적거리고, 맵고… 한여름 뙤약볕에서 담뱃잎을 따는 고역을 벗어나게 해 준 그가 오히려 고마운 존재인지도 몰랐다. 건조장도 없는 제 처지를 생각하면, 모든 고민을 일거에 해결해 준 것이다.

그러나 발길을 쉽게 돌릴 수가 없었다. 박씨의 얼굴이 어른거렸다. 면목 없소. 김은 밭이랑 끝으로 허청허청 걸음을 옮겼다. 담배는 어른 키만큼 높이 잘 자라주었다. 불필요한 가지나 꽃은 적당한 시기에 빨리 제거해 줘야 했지만 그는 그러질 못했다. 그 무성한 잎과 꽃들이 한꺼번에 사라져버린 것이 허망했다.

밭 끝자락에 남아 있는 담배꽃이 간신히 김의 마음을 위로했다. 그것들은 두 개의 연분홍 화관처럼 보였다. 그는 다가가 하릴없이 잎 하나를 뚝 땄다. 흰 진액이 흘러나왔다. 새삼 맵고 쓴 냄새에 눈물이 핑 돌았다. 끈끈한 액체가 손에 달라붙었다.

교대 시간을 기다리는 날이었소. 기침 때문에 잠이 안 와서 일찍 눈이 떠져 버렸죠. 갈수록 잠도 없어져서… 그날 낮에 본 거

이야기해 주리다. 벤치에 앉아 있는데, 담배꽁초를 줍는 노인을 보았어요. 저렇게는 안 살아야지 싶었는데, 문득 드는 생각이, 저 노인이 무슨 죄라고? 난 화들짝 놀랐소. 해 지기 전에 얼른 줍고 들어가려는지 노인은 서두르는 기색이었소. 아니, 창피했을까요? 그런데 어느 참에 왔는지 고등학생처럼 보이는 여자아이가 노인을 도와 함께 줍더란 말이오. 쪼그리고 앉았다가 일어서길 반복하며 꽁초 줍는 걸 나는 지켜봤소. 이윽고 검정 봉투가 주먹만 해지자 노인이 벤치에 앉았소. 여자아이가 제 책가방을 쑤석거리더니 노인에게 뭔가를 건네고는 꾸벅, 인사하고 떠났소. 난 노인에게 다가갔소. 맛있게 담배를 태우고 있는 노인에게, 착한 손녀를 두셨네요, 했지요. 자기 손녀가 아니라지요. 처음 본 학생인데 자기에게 궐련을 세 개 쥐여 주고 갔다나요. 노인이 내게 하나를 건네주었소. 왠지 거절하지 못했어요. 노인 곁에 잠깐 나란히 앉았지요. '이 빌어먹을 담배가 마약으로 지정 되서 아예 못 구했으면 좋겠습니다. 차라리 끊을 수 있을 테니까요…' 노인의 음성이 떨려 나왔소. 비 올까 봐 미리 꽁초를 많이 주웠다며 노인은 금세 흡족하게 웃더군요.

담뱃진 때문에 손바닥이 끈적거렸다. 김은 시커멓게 변한 손을 말아 쥐었다. 박씨의 음성이 말아 쥔 그 손아귀에서 흘러나온 것처럼 제 손을, 볕에 그을린 중늙은이의 제 주먹을 오래오래 내려다봤다.

담배 꽃에도 꽃말이 있어요, 아시오? '그대 있어 외롭지 않네', 또 '고난을 이겨내다' 라고도 한다지요.

이번엔 소녀처럼 활짝 웃는 박씨 얼굴이 떠올랐다. 봄 들어 부쩍 살이 내린 볼엔 주름이 가득했다. 이랑처럼 패인 주름 사이사이로 미소가 피어났던 걸 김은 또렷이 기억했다. 그가 기억하는 박씨의 마지막 얼굴이었다.

누군가 옷자락을 잡아끌었다. 머리 하나가 더 솟은 아들이었다. 녀석이 달래듯 말했다.

"아빠, 그만 가요. 내년 봄에 다시 심지요, 뭐."

7

같은 해 시월의 어느 날 오후 네 시, 택시기사 김은 오랜만에 행복슈퍼에 들렀다. 국가세수확보의 효자로 정평 난 담배 한 갑을 그는 소중하게 호주머니에 담았다. 주춤했던 담배 소비량은 어느새 원상태를 회복한 지 오래였고, 그것은 누구나 예견한 일이었다. 죽어 버린 박씨만 빼고.

이제 박씨 동네를 찾는 일은 더 뜸해질 것이다. 김은 다음 주부터 새로운 파트너와 일하기로 했다. 1인 1차를 뛰기엔 무리였다.

택시 문을 열다 말고 김은 길 건너편 벤치 어디쯤인가를 눈으로 더듬었다. 꽁초를 줍는 노인과 소녀, 그것을 지켜보는 박씨의 실루엣이 언뜻 보였다 사라졌다.

어떤 하루

"형부는 어딨는가? 통 형부를 못 봤어…."

노인이 비비적거리며 다가왔다. 좁은 어깨에 매달린 두 팔과 평퍼짐한 엉덩이를 받친 두 다리가 부목을 댄 것처럼 위태로웠다. 한 번 앉으면 그 자리에서 좀체 일어나지 못한 노인이었다. 저 눈빛. 은근하다 못해 의심 가득한 저 표정이라니. 노인을 바라보는 정은의 마음은 착잡했다. 가끔씩 노인의 흐릿한 동공에서 빛이 뿜어져 나왔다. 지금처럼 뭔가에 집요하게 사로잡혀 있을 때였다. 정은은 노인의 어깨를 붙들어 식탁으로 이끌었다. 아슬아슬하게 쌓아 올린 블록 더미를 통째로 옮기듯 조심스러웠다. 떠안다시피 의자에 앉히려는 순간 노인이 세차게 팔을 휘저었다.

"오메 내 시상아! 이것도 사는 거라고, 날 데려가소, 하느님아 날 데려가소오! 내 말이 말 같잖아서 대답이 없쟈?"

"형부 죽었어요. 죽고 없다고요!"

다아 죽고 없어요! 정은은 한 번 더 되는대로 쏘아 주고는 밥솥을 향해 돌아섰다. 노인이 정은을 언니라고 부르는 횟수가 부쩍 잦아졌다.

"그랬구나, 네가 통 말 안 하려든 것이 그래서였구나. 아이고 오 난 그런 줄도 모르고. 어짠다냐, 그렇게 세상 버려서. 아이고 미안하네, 언니."

노인은 이제 훌쩍거리기 시작했다. 멀리 배 타고 나갔다고나 대답할 걸. 하필 아침부터 죽었다는 말을. 정은은 이마를 찌푸렸다. 입안에서 오래 굴리던 밥 한술을 질끈 삼키고 났을 때, 기다렸다는 듯이 전화벨이 울렸다.

"툭 하면 형부 어딨냐고 추궁해 대는 통에 죽겠어. 그놈의 형부, 어딨을까? 오빠 목소리 들으면 정신이 좀 드실라나…."

전화기를 쥐어 주자 노인은 멀쩡한 톤으로 평소와 같은 멘트를 날렸다.

"잘 있냐? 애기 엄마도 잘 있고? 애들도 잘 있쟈?"

그러고는 서둘러 전화를 끊으려 했다.

"그라믄 이만 끊자. 바쁜디."

저러니 뛰어내렸지. 정신줄을 잡으려는 노인의 허망한 손짓이 보이는 것 같았다. 요양원에 들어간 지 한 달 만에 노인은 2층에서 뛰어내렸다. 내 집에 가겠다는 항의였지만 이미 노인이 돌아갈 집은 없었다. 큰아들 정훈이 시골 요양병원으로 다시 입소시키자는 걸 막아선 것은 막내아들 정수와 딸 정은이었다. 그러면

너희 둘이 책임져! 위로 두 형제들은 화를 냈다. 요양병원을 떠올리면 정은은 노인을 보낼 엄두가 나지 않았다. 팔다리가 침대에 묶인 채 무기력하게 저항하는 노인의 모습이 가장 먼저 떠올랐다. 더구나 요양병원에서 난 화재로 노인들 수십 명이 죽어 나간 것이 어젯밤 아홉 시 뉴스였다. 그렇다고 정은이 노인을 계속 거둘 형편은 되지 않았다. 결단을 내려야 했다.

예정대로라면 한 달, 아니 일주일이라도 제 집으로 노인을 모시고 갔어야 했다. 퇴원 후, 반년이 지나도록 정수는 노인을 제 집으로 모셔 가지 않았다. 불쑥불쑥 안부전화뿐이었다. 마지막으로 본 것도 두 달 전이었다.

"잠깐만! 엄마 모시고 고마리 가려는데 너도 갈래?"

끊으려는 전화를 정수가 다시 붙들었다.

"세 시간이면 갈 수 있어. 중간에 좀 쉬었다 가도 충분히 다녀와. 이번 아니면 기회 없다."

"비 온다고 했는데, 태풍도…."

"비 안 와. 함께 가자. 언제 또 기회 없다니까. 할 말도 있고."

정은은 멈칫했다. 정수가 그렇게 강경한 말투를 보인 적이 없었다.

"엄마 옷 입혀 드리고 기다려. 일찍 출발하자."

전화를 끊자마자 정은은 머리를 쥐어뜯었다. 하루라도 노인으로부터 놓여나고 싶었다. 그러나 노인에게는 언제 또 올지 모를 기회였다. 날 저물구만, 언제 고마리 갈라꼬…. 노인은 걸핏하면 고향 타령이었다. 불안스런 노인의 눈동자 속에는 바다가 흔들리고 있었다. 정은이 태어난 곳이기도 했다. 출생지에 불과할 뿐 자란 곳은 아니었다. 어쩌면 마지막 고향 방문…. 노인에게 더없이 좋은 선물이 될 것이다. 정은은 노인의 여벌 바지와 속옷가지, 접이우산 따위를 바쁘게 챙겼다. 그리고 마음을 다잡았다. 이번 기회에 꼭 말하리라.

정수는 유성IC로 빠져 호남고속도를 타고 광주까지 논스톱으로 달렸다. 40만 킬로미터를 달린 그의 고물차는 소음이 컸지만, 귀가 어두운 노인은 취한 듯 잠을 잤다. 오줌도 안 마려우신가봐? 정은이 정수를 향해 입을 열었다. 노인을 차에 태워 출발한 이후 줄곧 정수는 뭔가에 골똘했다. 두 손으로 운전대를 잡고 곧추 앉은 뒷모습이 딱딱하게 굳어 있었다. 두 달 새 머리숱이 쑥 빠지고 볼살도 홀쭉해져 입가에 팔자 주름이 내려앉기 시작했다. 제 오라비의 옆얼굴을 바라본 정은은 조금 먹먹해졌다. 무슨 일 있어? 여전히 정수는 못 들은 척했다. 정은은 입을 다물었다.

광주 톨게이트로 들어서자 갑자기 노인이 눈을 번쩍 떴다.

"이제부터 광주여요, 광주."

"누가 모르냐, 광주믄 광주지."

노인은 딸에게 쨍하고 맞받아친 다음 눈을 치뜨고 창밖을 바라봤다. 정은에게 광주는 낯선 도시였다. 광주에서 잠깐 살았다고는 하나 두세 살 때의 일로, 기억에 없기는 한 살 터울인 정수도 마찬가지였다.

"우린 왜 장돌뱅이같이 떠돌아다니며 살았을까?"

광주에서 군산으로, 다시 전주에서, 유성, 대전에 이르기까지 줄곧 북상하며 살아왔다. 정수와 정은이 부모의 삶을 따라 유성까지 흘러왔다가 그대로 머물고 말았다면, 위로 두 형제는 서울에 안착했다. 크게 성공하면 내 자식이 아니라 나라 자식이라 했던가. 그런 의미라면 서울 시민이 된 두 자식은 성공한, 나라 자식이었다. 부모 곁을 지킨 것은 정작 제 앞가림도 못하는 정수, 정은이었다.

"광주에서 장흥 가는 길은 두 가지 방법이 있는데여. 하나는 동광주에서 화순으로 가는 길이구요. 또 하나는, 광주에서 목포 방향으로 갑니다. 나주까지 가시구, 나주에서 영산포로, 영산포에서 23, 23번 도로로⋯."

13포인트로 출력한 A4 용지를 노인이 떠듬떠듬 읽어 내려갔다. 소리 내어 읽기는 노인의 인지능력을 위해 정은이 곧잘 활용하는 노하우였다. 달리 대화하기 힘든 상황의 돌파구이기도 했다. 누군가 인터넷 검색창에다 친절히 알려준 두 가지 길 중 정수는 화순길을 택했다. 나주라면 세종시처럼 혁신도시니 뭐니 하는 모습이 떠올라 싫었다. 잠깐 아내와 두 딸이 뇌리를 스쳐 갔다. 반으로 폭락한 전셋값을 버티지 못해 새로 잡은 아파트를 넘기고 나자 정작 손에 남은 것은 없었다. 그나마 아내에게 다 넘겨주고 정수는 손을 탈탈 털었다. 법정 판결이 남았지만 번복할 일은 없을 것이다.

"봐, 날씨 좋잖아."

이번에는 정수가 말문을 열었다. 습관처럼 오른쪽으로 얼굴을 돌렸다가 다시 뒤를 돌아봤다. 동생과 노모가 뒷자리에 앉아있었다. 정수는 뒤늦게 오른손을 치켜들며 나머지 한 손으로 운전대를 잡는 여유까지 부리며 웃어 보였다. 치열이 고르지 못한 까만 입술이 강제로 벌어지고 있는 것 같았다. 정은은 그것을 물끄러미 바라봤다.

비가 아직 내리지 않는다 뿐, 좋은 날씨가 아니었다. 나크리가 소멸했지만, 11호 할롱이 북상 중이었다. 중심 최대 풍속이 초속 47m. 강한 중형 태풍이었다. 정은은 휴대폰으로 날씨를 검색했다. 현재 필리핀 해상에 머물고 있으며 오키나와 먼 바다에서 시속 15km 안팎의 속도로 북상 중이라 했다. 기상청은 할롱의 경로가 한반도 남해안에 미칠 것으로 보여 그 피해가 예상된다고 했다. 그러나 아직 바람은커녕 비 한 방울 떨어지지 않았다. 정은이 보기엔 일기예보가 맥을 못 추는 것 같았다. 구름이 옅게 끼어 더위가 한풀 꺾이는가 싶기는 했다. 에어컨이 시원찮아 정은은 결국 창문을 열었다.

"논이 많네."

불쑥 튀어나온 정은의 말에 아무도 주의를 기울이지 않았다. 대전을 지나 세 시간 내내 줄곧 평야를 달려왔다. 아, 어, 정도의 감탄사보다도 무의미하고 공허한 말이었다. 침묵보다 낫다는 강박이 만들어 낸 그 말은 막내 올케에게 어울릴 말이었다.

정은은 아까부터 올케를 떠올리고 있었다. 강원도가 고향인 올케는 눈이 지겹다고 해서 모두를 놀라게 했다. 유일하게 가족 여행을 갔던 오래전 겨울 남해에서의 일이었다. 와, 눈이다! 모두들 귀한 함박눈에 탄성을 지르는데, 그녀 혼자 아, 지겨운 눈, 하고 중얼거렸던 것이다. 정수의 옆자리에 올케가 이방인처럼 앉아 있는 환영이 일다 사라졌다. 정은은 문득 자신이 식구들을 그리워하고 있는 것 같아 창피했다. 창피하단 느낌이 들자 다시 화가 났다. 그녀에게 식구란 없는 존재였다. 어느 순간 고갤 드니 잠시 맡은 짐과 같은 식구, 노인뿐이었다. 늙은 노처녀 딸과 치매 노모. 그 조합이 하나의 정물처럼 되어 가는 중이었다.

정은은 머리를 흔들었다. 거칠게 손가방을 열어젖혔다. 다시 좌석 밑에 놓인 쇼핑백을 쑤석거렸다. 정은은 막대사탕 하나를 노인 입에 물려주고 제 입에도 하나 넣었다. 웬 횡재인가, 한숨 푹 자고 난 노인은 흡족한 표정을 지었다.

"올케랑 애들은 잘 있어?"

이번 질문도 씹어 잡수신다. 이걸 콱, 정은은 소리를 빽 지르려다 말고 단물을 꿀꺽 삼켰다. 어쩐지 정수 얼굴에 드리워진 그늘이 그녀를 주춤하게 만들었다. 정수는 대답 대신 라디오를 켰다.

해마다 수많은 목숨들이 도로 위에서 허망하게 사라지고 있습니다. 악명 높은 죽음의 도로, 국도 29호선에서 또 다시 4명이 숨지는 사망사고가 발생했습니다. 왜 이런 불행이 계속되고 있을까요?

사건 취재기자 특유의 톤이 라디오에서 쏟아졌다.

승용차가 형태를 알아 볼 수 없을 정도로 찌그러졌습니다.
K5 승용차가 화순군 29호 국도에서 중앙분리대를 들이받은
건 어제 자정쯤입니다.

"뭐야? 지금 우리가 달리고 있는 이 도로 이야기야?
정은이 빨다 만 막대사탕을 검정 비닐봉지에 버리며 물었다.

터널에서 빠져나온 차량은 이곳에서 연석과 충격흡수대에
먼저 충돌한 뒤 반대편 차선으로 넘어가 가드레일을 들이받고
서야 겨우 멈춰 섰습니다. 경찰은 과속으로 인한 사고로 추정
하고 있지만…

"으악!"
터널을 빠져나오자마자 커브길이 나타나 정수는 저도 모르게
핸들을 틀 뻔했다. 순간 일어난 착시였다. 정은과 노인의 비명에
정수는 말없이 이마의 땀을 닦았다.

지난 16일엔 사고 지점에서 불과 10킬로미터 떨어진 화순

쌍봉교차로에서 승용차와 사설 구급차, 25톤 시멘트 운반특장

차가 잇따라 부딪쳐 일가족이…

"아, 오빠, 그거 좀 꺼버려. 정신 사납네."

죽음의 도로라는 오명은…

"아예 좀 끄라구."

정적이 세 사람을 훅 덮쳐들었다가 곧장 엔진음으로 대체되었다. 정은은 고개를 창밖으로 돌렸다. 보성과 장흥 방향을 알리는 표지판이 '절대감속안개지역'임을 강조하고 서 있었다. 도로 양쪽으로 백일홍이 붉게 도열해 있고 산은 진한 암청색을 더해 갔다. 그새 한적한 이차선 도로였다. 백일홍 뒤로 소나무와 밤나무, 떡갈나무 따위의 활엽수들이 휙휙 지났다. 남도의 산이 흐린 날씨 덕분에 더 깊어 보였다. 도심에서 사라진 회색 전봇대들이 검은 전선을 거느리고 푸른 숲과 논밭을 지나 암청색 숲으로 사라져 갔다.

아스라한 기억이 전선줄에 걸리듯 떠올랐다. 차창 안으로 만원 권 지폐 두 장을 손에 쥐여 주던 이가 있었다. 엄마는 손사래 치느라 바빴고, 움직이는 차창 안으로 긴 팔 하나가 쓰윽 들어왔다 사라졌다. 창밖에서 키가 훤칠한 그가 손을 흔들며 우리를 배웅했다. 차는 곧장 먼지를 일으키며 움직였다. 신작로 길가 나무

들이, 빈 겨울 들판과 야산이 지금처럼 뒤로 휙휙 달려갔다. 젊은 막내고모에게 기어이 여비를 주고 싶어 애쓰던 그도 휙 사라졌다. 그가 한 그루 나무처럼 사라지기 바쁘게 어린 정은은 까무룩 잠이 들었다. 고마리에 가면 그를 볼 수 있을까. 노모를 모시고 홀로 살아가고 있다 했다.

"자, 이제 30분이면 갈 수 있어."

정수가 운전대를 고쳐 잡았다.

"엄마, 창밖 좀 봐 봐요. 여기가 어디게요?"

"어디긴 어디야. 다 논이고 밭이지."

"그게 아니라 저 표지판 보여요? 여기가 장흥이라고요, 장흥."

"아, 그래, 자응, 누가 그걸 다 모르나."

"그러니까 엄마 고향 고마리에 간다니까요."

"아, 고마리 가냐, 지금?"

노인은 처음 들은 것처럼 반응한다. 창밖을 보면서도 반가워하지 않는다. 아파트가 들어서고 도로가 정비된 탐진강 변을 노인은 고향으로 알아보지 못한 것일까.

"여기까지 왔는데, 한우는 먹어 봐야지."

장흥교 사거리에 들어서자 정수가 호기롭게 입을 열었다. 탐진강을 가로질러 읍사무소 옆에 토요시장을 알리는 아치형 입간판이 보였다. 강이 정면으로 바라보이는 2층 식당 하나를 향해 정수가 성큼성큼 앞서갔다. 정은은 그대로 멈춰 섰다. 팔목이 시큰거렸다. 노인과 함께 계단을 오를 자신이 없었다. 아래층에서

는 고기를 팔고 위층에선 고기를 구워 먹는 식당 구조는 옆 가게
도 마찬가지였다. 정수가 다시 내려왔다.

"이 정도는 운동하셔야죠."

노인을 부축하는 정수의 미간이 심하게 구겨졌다. 노인과 함
께 계단 오르기는 처음이었다. 직접 해 보지 않으면 모르는 법이
다. 정수는 제 여동생이 겪고 있을 고생을 떠올렸다. 2층에 들어
서니 신발 벗어 놓을 자리가 없을 만큼 만원이었다. 불판이 채 치
워지지 않은 빈자리 하나를 찾아 앉았다.

"가장 부드러운 부위로 주세요. 표고와 키조개도."

노인은 천천히, 느릿느릿, 끝까지 받아먹었다. 살치살은 입안
에서 살살 녹았다. 정은은 이런 고기 맛이 처음이었다.

"오빠, 괜찮아?"

정수의 호주머니 사정이 걱정되었다. 지갑에서 현금을 꺼내
세는 정수의 손가락을 바라보며 정은은 울컥했다. 헐, 고기 좀 사
주니깐 맘이 다 …. 정수의 손톱에 박힌 기름때 얼룩이 도드라져
보였다. 지난 6개월 사이에 정은은 가장 친한 정수에게마저 마음
의 벽이 생겨 버렸다. 연년생이어서 평소에도 오빠라 잘 부르지
않았지만 노인 문제로 소원해지고서는 더더욱 함부로 대했다. 잘
먹고 잘 사는 서울 오빠들을 제쳐 두고 힘없는 막내오빠에게 서
운해 하는 궁상이 정은 자신도 싫었다. 이제 일자리를 새로 찾아
봐야 했다. 식당 주방일이라도 달려들어야 했다.

정은은 수박 두 덩이를 사 들고 토요시장을 나섰다. 물축제 준

비로 꽃장식이 어우러진 탐진강 가는 낯설었다. 단 한 번 유년 시절에 들른 것으로 고향이라 할 수 있을까. 뭔가를 고집하는 것은 우스운 일일 것이다. 정수를 힐끗 쳐다봤다. 그는 숙제 하나를 끝낸 아이 같은 표정이다.

들길을 자동차는 단숨에 내달려갔다. 정은의 흐릿한 기억으로는 바닷가 마을이었는데, 지금 눈앞에 펼쳐진 것은 들판이었다. 고샅 막다른 곳에 위치한 외가는 언뜻 보면 폐가 같았다. 마당 가운데 덩그렇게 놓인 흰색 아반떼만이 사람 사는 집이란 걸 알려주었다. 정수는 제 집 들어가듯 마당 안으로 들어가 나란히 주차했다.

"뉘세요?"

등산복을 입은 여자가 헛간에서 나와 물었다.

"대전에서 온 조카입니다. 외숙모님 뵈러 왔어요. 그런데…"

"저는 요양보호사여요. 날마다 세 시간씩 와서 돌봐 드리고 있어요."

아반떼는 읍에서 산다는 요양보호사의 차였다.

"원래 주말은 쉬는데, 산에 갔다가 잠깐 들렀어요. 혼자 계시는 것이 마음에 걸려서…. 반찬이라도 몇 가지 해 드리고 살펴봐야겠길래요."

어느 참에 나왔는지 마루에 한 노파가 웅크리고 앉았다. 외숙모였다.

"저, 정은이어요, 정은."

정은이 노파의 귀에 바싹 대고 말했다. 고명딸이라서 기억할
수 있을까, 정은이 먼저 제 이름부터 들이댔지만 노파는 고갤 저
었다. 정수가 노인의 팔을 이끌고 마루 끝에 앉혔다. 다행히 두
노인은 서로를 알아봤다.

"뭣이여어? 진짜 자네란 말잉가?"

"삼 년 전에도 제가 한 번 모시고 왔는데…."

정수가 끼어들었지만 두 사람의 기억까지는 들어가지 못했다.

"성님이 정말 맞지요? 아이고, 오래 살다 보니 이렇게 만나네
여."

노인은 제법 대화를 이어 갔다. 정수는 숨을 돌리며 마당 구석
으로 걸어가 담배를 입에 물었다. 값이 오른 만큼 담배는 더 맛있
었다. 정은은 집 모퉁이를 돌아 뒤란으로 갔다. 이끼 낀 기와 너
머 대숲이 작아져 있었다. 외가의 모든 것이 작아져 있었다.

"인자 가자."

노인 음성이 뒤란까지 들렸다. 정은이 달려갔다.

"엄마, 여기가 그 고마리여요."

"누가 모르냐. 고마리지."

"그러니까 잘 보시라구요, 고마리 타령 그만하고,"

걸핏하면 고마리를 가야 한다고 짐을 꾸리던 노인이었다. 거
기에 누가 있다고요! 누가 있긴 다 있지이, 우리 어매랑 언니들이
랑… 죽은 사람 소원도 풀어 준다 했다. 어쩌면 오늘이 그 소원풀
이 날이었다. 그런데 노인은 고마리에 대해 큰 감흥이 없었다. 뜻

밖이었다.

"아이고, 성님이 맞으요? 뭔 일이당가, 똑 닮았네."

"아, 나란 말이시, 닮은 게 아니라 내가 자네 성님이 맞어여."

노인이 자꾸 처음으로 되돌아가 수인사를 하는 통에 외숙모 목소리가 점점 커져 갔다. 그것이 싫은지 노인은 일어서자고 재촉했다. 마침내 정수가 그만 가자고 정은에게 눈짓했다.

"냉장고도 지금 고장 나 시원한 게 없네요. 이거 썰어왔으니 드세요."

요양사는 정은이 사 들고 온 수박을 어느새 썰어 플라스틱 쟁반에 가지런히 내왔다.

"인걸 형님은요?"

"지난 사월부터 여직 안 나타나네요. 평소에도 한 번씩 집을 나가긴 했지만 노모 걱정되어 금방 돌아오곤 했는데…. 참 효자였는데…."

외숙모 대신 요양보호사가 말을 받았다. 그녀의 얼굴에 걱정 기가 스쳐 갔다. 정은은 노인에게 오줌을 누자고 달랬다. 기저귀를 채워도 끌어 내리는 통에 소용이 없었다. 미리미리 달래 오줌을 쏘이는 수밖에 없었다. 모퉁이 풀섶에다 오줌을 누고 난 노인은 한결 편한 표정이 되었다.

"성님, 그라면 또 올게요. 건강히 오래 사시요."

"무슨, 오래 살아서 뭐하게. 이녁이나 건강해야지, 젊어갖고 그게 뭔 일이여."

구십이 넘은 외숙모는 실상 귀도 먹지 않고 정신도 또렷했다. 지팡이를 짚고 마당으로 걸어나와 정수의 손을 잡았다.

"조카들 고생이 많네야. 잘하소, 참말 좋게 대해 줘…."

개라도 한 마리 키우면 좋을 텐데. 빈 외양간과 빈 고구마 방, 헛간과 건넌방들을 차례로 훑어보며 정은은 평소 좋아하지도 않은 개를 떠올렸다. 호박넝쿨이 뻗어가고 있는 얕은 담 너머 들판으로 고개를 돌렸다. 노인이 늘 노래하던 고향이 이것인가. 정은은 초여름의 고요한 마을이 야릇하기만 하다. 외가에 대한 그녀의 기억은 사람들이 북적였던 겨울뿐이었다.

"여기가 바다였지 않나? 조금 이상해."

"간척지가 생기고 바다는 더 뒤로 물러난 거 같은데…. 한번 돌아서 나가자. 그 바다가 보고 싶은데."

정은의 마음이기도 했다. 외가를 나서자 곧장 장환도로가 펼쳐졌다. 언제 생겨난 길인지 알지 못한 오누이에게는 그저 새로운 길이었다. 오른쪽에 펼쳐진 논을 바라보며 정은이 중얼거렸다.

"옛날 여기가 허허벌판…. 검정 도화지 같은 김들이 겨울바람 속에서…. 사람들이 영화 속 장면처럼 움직였는데…."

"하하하, 참말 묘한 일을 다 봤네. 어뜨케 그리 닮았다냐."

"엄마, 저거 좀 봐요. 예전에 이 자리가 김발 널던 그 바닷가 아니었냐고요. 그때도 논이었어요?"

"거참, 참 이상하다. 그리 똑 닮았어야? 참 별스런 일 다 있네.

하하하, 참 우습다. 어뜨케 그리도 닮았다냐."

　노인은 방금 만나고 온 외숙모를 어느새 저쪽 세계로 돌려보내버리고 저 홀로 허상과 싸우는 중이었다.

　논을 끼고 열린 길을 따라 차는 천천히 기어가듯 움직였다. 아, 바다! 조그만 어촌마을의 비경이 눈앞에 펼쳐졌다. 정은은 가슴이 환해졌다. 정수가 처음으로 밝은 미소를 지었다. 다소곳한 바다 풍경이 일시에 두 오누이를 사로잡았다. 숨은 산골 같은 바다였다. 해안도로가 다정한 손을 내밀고 이끄는 대로 가면 닿는 곳이었다. 물결은 잔잔했다. 무너진 방파제가 눈에 띄었지만 갑자기 너울성 파도로 돌변할 리는 없었다. 정수가 차를 세웠다. 이심전심. 그런데 갑자기 노인이 흐느껴 울기 시작했다.

　"왜 그러서요? 고향 구경 시켜 드리니깐 울긴 또 왜 우셔?"

　"울 어매 보고 자퍼서 운다. 왜야?"

　"누구? 엄마의 엄마요? 그러니까 외할머니가 보고 싶다고요?"

　"울 어매가 저 바다에 빠져 죽었는데 그라믄 안 울어? 오매 불쌍한 울 엄니, 쪼금만 더 오래 사시다 가시지 억울해서 어째…."

　정수 오누이가 태어나기도 전 일이었다. 노인이 첫아들 낳고 얼마 되지 않아서라고 했다. 앞 섬 장환도 초상집에 갔다가 태풍으로 배가 뒤집혀 마을 사람들 여럿이 목숨을 잃은 사고였다. 아무리 그렇다고, 삼 년 전에 돌아가신 아버지도 아니고. 정수 남매는 어리둥절했다.

"아니, 저것들은 뭐다냐. 뭔 노란 것들이 저렇게 펄럭인다냐. 아니, 저, 저…"

한숨 울고 난 노인이 돌연 목소릴 높였다. 아무것도 보이지 않았다. 작은 어선과 바닷새 서넛뿐, 사람 하나 없는 한적한 바다였다. 구름을 뚫고 햇빛이 살짝 얼굴을 내밀었고, 바다의 수면은 은갈치 빛으로 빛나고 있었다. 아름답고 무심한 바다였다.

"오매매, 저, 저것들이 뭐다냐. 저 아그들이 왜 저리 둥둥 떠다녀…. 세상에, 왜 보고만 섰어? 아, 뭐해! 왜 그렇게 보고만 섰어!"

햇빛에 반사되는 물결을 바라보며 노인이 손사래를 치기 시작했다. 정은은 열린 창문을 급히 내리고 도어락을 잠갔다. 발을 동동 굴리는 노인의 허벅지를 오른손으로 눌렀다. 격앙된 노인의 팔을 다시 꽉 붙들고 우는 아이 달래듯 안았다.

"얼른 가! 그만 돌아서 가자고."

정은의 말이 끝나기도 전에 정수는 핸들을 확 꺾었다. 차를 거칠게 몰았다.

별일이었다. 텔레비전이라도 보면 좀 좋아. 평소 텔레비전 시청도 할 줄 모르는 노인이었다. 빈방에 귀신처럼 홀로 있는 게 싫어서 정은은 24시간 켜 두긴 했지만 조명에 불과했다. 달력 한 장, 그림 액자 하나만도 못했다. 그런 노인의 뇌리에 뭐가 들어박힌 것일까. 정은과 정수는 서로 눈이 마주쳤다. 둘은 동시에 고개를 돌렸다. 귀신이 보인 것일까. 나이가 들면 산 사람보다 귀신하고 친해지기 시작한다 했다. 바다가 사라지고 농로로 접어들자 노인이 또 다른 억지를 부리기 시작했다.

"아녀. 그리 가면 죽청이여, 저 짝으로 가야지, 그 짝이 아니여. 장터는 저 짝이란 말여!"

"하바리 갔다가 가시게요."

"뭐하러 하바리는 가, 장터 가야 집에 가제!"

"잠깐 하바리 이모 보고 가시게요. 언니 말이여요, 진짜 언니!"

"여그로 가면 안 된다니까! 여긴 죽청이고 장터는 저 짝이랑게."

"장터 말고 하바리 간다니까요."

"아 긍께 장터 가야 집엘 가지 뭐하러 하바리 가냐꼬!"

"여기까지 왔으니까 엄마 언니 보고 가셔야죠. 하바리 이모, 아직 살아 계시잖아요? 안 보고 싶으세요? 맨날 고마리, 하바리, 타령해 놓고서."

"아, 차 돌리란 말이여. 길이 틀렸어!"

노인이 소리를 빽 질렀다. 핸들이 흔들렸다.

"가만히 좀 있으란 말요! 알아서 모시고 갈 테니…. 정말 왜 이러실까."

정수가 급기야 이마에 주름을 지으며 화를 냈다. 순둥이 아들에게 면박 당한 노인은 풀이 죽어 입술만 달싹거렸다.

"내 새끼들, 장터에서 눈 빠지게 기다릴 텐디. 금세 큰바람 몰려들면…. 어짤라고…."

"엄마, 이제 보고 싶은 사람 곧 보겠네."

정은은 그새 눈물이 그렁그렁해진 노인의 손을 잡으며 달랬다. 일관성 없는 노인이라지만 뜻밖이었다. 언니들 셋 중 유일하게 생존한 막내언니가 바로 하바리 이모였다.

고마리에서 하발리는 10여 분이면 가는 거리였다. 그런데 도통 길이 열리지 않았다. 상발리 표지판만 나오고 하발리 표지판은 보이지 않았다. 고마리 들어올 때 언뜻 하발리 표지판을 봤는데 방심했다. 상발리의 반대쪽이 하발리일까. 정수는 해안도로를 빠져나와 농로를 달렸다. 상발리 표지판을 의식하여 반대편 농로를 따라 가다 보니 막다른 야산이 나왔다. 되잡아 돌아오자 처음 장소 그대로였다.

"저쪽은 정남진 가는 도로인데…."

앞으로 쭉 뻗은 해안도로를 끝까지 내달리고 싶었다.

"우린 정남진도 제대로 못 가 봤네? 명색이 고향인데…."

정수도 아쉬운지 한마디했다. 그러곤 될 대로 되라는 듯 바다를 등지고 농로를 따라 이쪽저쪽으로 뱅뱅 돌았다.

"근데, 왜 하발리를 하바리라고 부를까? 난 이제껏 하바리로만 알았네. 상발리 있는 거도 처음 알았고."

"상발리도 상바리라고 불러, 여기 사람들은."

"그러게, 웃겨. 장흥 발음도 못해서 자응이라 하잖아. 엄마만 해도."

"힘들잖아, 받침까지 다 발음하려면. 배도 고픈데…. 물 흐르

듯 말해도 알아먹잖아. 하바리, 상바리, 고마리….”

“힝, 그럼 일본 사람들도 배고파서 말에 받침 없나.”

“정말 배고프면 말하기 힘들어서 입안에서 우물우물하게 되잖아.”

정은은 피식, 웃고 말았다. 정수의 말버릇이었다. 윗입술이 거의 움직이지 않고 아랫입술의 움직임만으로 우물거리는 것이 정수의 스타일이었다. 얇고, 가벼운 느낌의 일본말투와 달리 우물에서 길러오는 듯 두껍고, 묵직한 느낌이 다르긴 했다. 정수 말은 항상 어눌한 느낌을 주었다.

“금방 찾을 거 같은데 안 보이네.”

웅얼거리며 정수는 결국 큰 도로로 나와서 입간판을 다시 보았다. 도로 초입에서 하발리는 곧장이었다. 지나쳐 버리고서 뱅뱅 돈 것이다. 길만 바로잡자 이모 집은 쉽게 찾을 수 있었다. 집 맞은편에 서 있는 커다란 팽나무가 표식이었다. 삼 년 전에 딱 한 번 정수는 노인을 모시고 오늘과 같은 순례를 했었다. 그때는 아내가 동행해 주었다. 지금 생각하니 고마운 여자였다. 길눈이 어두운 것은 집안 내력이다. 정수가 대리운전을 해 보려고 나섰다가 한 달을 채우지 못하고 손든 것도 그 탓이었다.

이모는 마을회관에서 슬리퍼 차림으로 달려왔다. 노인보다 네 살 많은데도 몸이 날렵하고 눈이 총총했다. 집 안은 먼지 하나 없이 정갈했다.

“하이고, 그 좋은 사람이 어째 그런 병에 걸렸다냐? 그 좋은 사람이…. 조카들이 애쓰네."

"오다가 고마리 먼저 들렀는데, 엄마가 막 헛것을 보신 거 같아요, 외할머니 보고 싶다고, 억울하다고 우시더니…. 또 바다에 사람들이 떠 있다고 난리셔서 그만 되돌아왔어요."

"뭐라? 느그 엄니가 그랬어야…. 나도 아즉 바다라면 징그러워 안간다. 바다 보고 싶지 않아. 당체 바다 안 보고 싶다 아닌가."

"이모도요?"

"나만 그러는 거 아니다. 회관 나가 보믄 다아 그런 소릴 한다. 바다에 온통 헛것들이 돌아댕긴다고. 망할 시상이다. 바다가 다 한 바다니께야."

정수와 정은은 이모의 얼굴을 멍하니 바라봤다.

"어이, 사람아. 우리 어매가 풍랑 만나 죽은 거가 뭐라고 그래? 자연이 델꼬 간 것은 암씨랑토 안 해. 그런 건 억울허도 않단 말이시, 이 사람아."

동생 손을 붙들고 이 사람아, 를 연신 불러 대는 이모의 눈에 애틋함이 서렸다. 자연이 델꼬 간 것은. 정은은 이모의 말투를 조용히 따라해 보았다. 진짜 억울헌 건 말이시…….

"인자 가자. 언제 집에 갈라고 그래. 어두워질라는디. 바람도 불구만."

노인이 정은을 재촉하기 시작했다. 후텁지근한 공기를 가르는 선풍기 바람뿐 마당가 나뭇잎들은 어느 것 하나 미동 않고 멈춰 있었다.

"이 사람아, 가긴 어딜 가. 나랑 여기서 살아야제. 나 혼자니께 같이 있음 되겠네."

"엄마, 여기서 며칠 지내세요. 다시 모시러 올게요."

"안 해! 너도 여기서 같이 살믄 몰라도."

정수의 말에 노인은 단호했다. 행여 붙들까 봐 뭉그적거리며 문지방 쪽으로 엉덩이를 뺐다. 정은이 썰어 온 수박 한 쪽도 입에 대지 않고 일어서려고만 했다. 정은이 다시 앉혀 주자 이번엔 바짝 정은 곁에만 붙었다.

노동으로 다져진 이모는 제 몸피만 한 양파 자루를 들고 왔다.

"여그까정 왔는데 줄 건 없고 이거라도 좀 가져가. 아니, 쌀을 좀 줄끄나."

정은은 양파 자루를 받아들었다. 손사래 치는 이모의 호주머니에 정수는 미리 준비한 흰 봉투를 찔러 넣어 주고는 두 손을 잡았다. 이모의 손은 노모의 것보다 거칠고 단단했다. 이제 또 언제 본다냐…. 이모의 눈자위가 붉어졌다. 정작 노인은 무덤덤했다. 정은이 대문 가에 탐스럽게 자란 작약과 채송화 따위에 시선을 주며 해찰하는 동안에도 노인은 제 혈육에게 별다른 감정을 보이지 않았다.

두 오누이는 다시 말을 잃었다. 차 안은 이상하게 무거운 정적에 휩싸였다. 무슨 생각을 하는지 노인도 눈만 말똥말똥 뜨고 앞만 바라봤다. 초저녁 불빛이 하나둘씩 밝혀지기 시작했다. 하발리를 벗어나자 정은이 조심스럽게 입을 열었다.

"올케 잘 있어? 주원이 고3이라 힘들겠네."

정수는 다시 말이 없었다. 하마터면 정은은 야! 하고 고함을 지를 뻔했다. 빵 터뜨리고 싶은 충동이 일었다.

"할 말이 뭔데? 할 말 있댔잖아!"

"아니, 길을 잘못 든 것 같은데."

좌우를 살피며 정수는 무표정한 얼굴로 우물거렸다. 그 순간, 정은은 그 모든 질문이 자신에게 되돌아온 것을 알았다. 난 무슨 말을 하려했지? 단단히 벼렸던 그 말이 무엇이었는지, 흐릿해져 버렸다. 말의 길을 놓친 것이다. 정수의 침묵이 그걸 일깨웠다. 오빠 또한 말을 놓쳤음에 분명했다. 어쩌면 우리는 할 말이 없었는지 모른다. 할 말이 없었다, 처음부터. 우리가 할 수 있는 말이 있기는 했던 것일까.

"하바리, 하발리."

정은은 갑자기 중얼거리기 시작했다. 굳은 혀 운동을 하듯 천천히, 반복해서 혀를 굴렸다. 상바리, 상발리, 고마리… 도깨비불 같은 불빛들이 마을 먼 곳부터 반짝거리며 다가들었다. 어느 순간 노란 유황불 같은 불길들이 눈앞에 일렁였다. 정은의 까마득히 먼 유년 시절 하나가 그 불길 속에서 되살아났다.

"저 바람꽃 좀 봐라. 큰바람 불려나 보다. 어서 가자."

엄마는 힘에 부쳤던지 업었던 아이를 바닥에 내려놓았다. 바람꽃이 뽀얗게 낀 먼 산을 바라보며 다시 아이의 가는 팔목을 잡아끌었다. 아이는 바람꽃을 찾아 두리번거렸다. "바람 불면 피는 꽃이야? 바람처럼 날아다니는 꽃이야?" 계집아이의 질문에 엄마는 미처 대답할 여유를 갖지 못한다. 어둠 들기 전에 얼른 시오리 길을 건너가고만 싶은 것이다.

그렇게 아스라이 펼쳐진 논두렁과 가도 가도 첩첩인 산길을 모녀는 걸었다. 어둠이 발목을 붙잡자 엄마는 놀라운 괴력을 냈다. "저건 도깨비불이다. 어여 눈 감고 있어." 고갯마루에서 잠깐 멈춰 선 엄마는 점점이 반짝거리기 시작하는 마을의 먼 불빛들을 가리키며 그렇게 겁을 주었다. 출랑대며 보채는 것보다는 얌전히 업혀 잠든 아이가 엄마에겐 더 수월했다. 한숨 자고 나면, 아이는 어느새 마루에 올라 있었고, 엄마 이마에는 땀이 송골송골 맺혀 있었다.

꼬막 껍질 같은 지붕이 옹기종기 엎드린 작은 마을이었다. 콩콩 언 개펄에는 김농사를 짓는 사람들이 바람을 맞으며 서성였다. 새까만 낯빛과 차갑게 언 거친 손, 까만 고무판화 같은 발장들, 추위 속에 한바탕 소꿉놀이라도 벌이는 듯 모든 것이 기이했다. 아이는 몹시 중요한 어른들의 세계를 훔쳐보는 기분이 들었다. 밤이면 토방에 앉아 작두로 김을 다듬었다. 반듯하게 잘린 김은 짚으로 묶여 쌓이고, 까만 눈썹 같은 김가루가 쏟아져 내리는 밤…. 식탁에는 으레 미역도 파래도 아닌 흐물흐물한 수프가 나왔다. '매생이'였다. 남생이나 자라를 생각나게 하는 그 해괴한 이름의 검푸른 국 속에는 하얗고 살진 굴이 한 주먹씩 들어 있었다. 씹지 않아도 미끌하게 넘어가는 매생이국을 아이는 후후 불어가며 대접 가득 먹어 치웠다. 곧장 스르르 눈이 감겼다. 뒤란은 커다란 대숲이었고, 바람 소리에 산짐승 울음이 실려와 아이는 귀를 쫑긋거렸다. 한사코 잠을 쫓아도 아이는 어느새 엄마의 시큼한 땀내와 고구마 자루 냄새, 그밖에 알 수 없는 부드러운 기운 속에 잠이 푹 들었다. 오줌 마려워 눈을 뜨면 집 뒤 대숲에서는 다시 바람이 불고 부엉이가 울었다….

그런 고향이었다, 정은이 꿈꾸던 고향은. 어쩌면 노인이 타령하던 고마리였을 것이다. 시멘트로 발라진 깨끗한 고샅과 개 짖는 소리, 인적 하나 없이 적막한, 저마다 귀신을 보는 노인의 마을은 그녀가 생각한 고향이 아니었다.

"작은 통통배를 타고 저 바다에서 회진까지 날 데리고 갔는데…. 그때 인걸 형이 바다낚시로 건진 펄떡펄떡 뛰는 물고기를 그대로 초장에 쓱 발라 씹어 먹길래 난 기겁을 했지. 그런데 왠지 나도 크면 꼭 형처럼 저렇게 먹어 봐야지 싶더라…. 통째로 뼈째 살을 으깨 씹어 먹고 싶었어. 남자답게. 그 뙤약볕 내리는 여름의 태양 아래, 진종일 잔잔한 바다 위에 떠다니며…. 막 낚아 올린 싱싱한 놈을 산 채로 쓱 입에 넣고 우물거리며, 입가의 땀도 쓱 핥고…. 하하, 그걸 난 여태 못 해 봤네. 인걸 형은 간데없고…."

정수가 독백처럼 우물우물 중얼거렸다. 엔진음 때문에 정은은 상체를 앞으로 바짝 땅겨 귀를 기울였다. 오빠에게 언제 그런 여름이 있었을까? 그 인걸 오빠는, 미루나무처럼 건장했던 그는 어디로 간 걸까?

노인이 불편한지 몸을 뒤척였다. 이마에 흘러내린 흰머리가 축축하게 엉켜 있다. 아기처럼 웅크리고 잠든 노인을 바라보며 정은도 제 이마의 땀을 닦았다. 에어컨 좀 더 세게 틀어 봐! 정은은 괜히 목소릴 높였다. 내비게이션도 새로 달지 않은 정수의 차에서 쓸 만한 것이라곤 라디오뿐이었다.

태풍이 오긴 할까. 창문을 열자 눅눅한 저녁 바람과 함께 각다귀들이 들이닥쳤다. 농로를 빠져나오자 정수는 잠깐 29번 국도를 떠올렸다. 가야 할 길은 언제나 한 발 앞에 있었다.

꺾인 생, 생의 의지

김주선_ 문학평론가

삶 전부를 망실한 것만 같은 허무함이나 무의미함은 쉽게 찾아오는 것이 아니다. 인간 역시 생물이기에 안정성을 추구하고 이는 자신의 신체와 정신을 가능한 쾌적한 상태로 유지하려는 본성적 노력과 직결된다. 자기 자신을 위한 인간의 능력은 놀라울 정도다. 예컨대 타인에 대한 염려는 자신의 삶에 이익을 가져다주는 한에서만 의미 있는 것이어서, 이국의 처절한 전쟁보다 자기 손톱 밑의 가시 하나를 훨씬 더 중요시 하고 평등이나 정의보다 자신의 잘못을 숨기기 위한 합리화에 훨씬 더 능숙하다. 자아의 포획적 성격을 가리키는 자기 동일성이나 자아의 절대적 바깥에 있다고 상정된 타자가 등장한 건 우연이 아니다. 정신분석학이 쾌락원칙이나 항상성이라는 개념으로 정교화 했듯이 인간은 의식적 무의식적 차원을 망라하여 자신을 지키기 위해 이토록 집요하고 철저하게 자신을 관리한다.

따라서 만약 한 개인이 생의 의미를 잃어버렸다면 여기에는 반드시 어떤 특별한 사건이 개입해 있다. 거대한 위기에 직면하지 않은 인간에게 자기 삶에 대한 전면적인 회의는 일어나지 않는다. 이때 항상성을 깨트리(려)는 사건은 반드시 누구나 공감할 법한 사건일 필요는 없다. 삶에 대한 전면적 회의는 자신에게 쏟아지는 고통을 어떤 상징적 위치에서 받아들이는가의 문제와 직결된다. 같은 사건은 그 사건을 받아들이는 각각의 존재들마다 얼마든지 다른 방식으로 의미화 될 수 있다. 가령 누군가에게 삶을 포기하고 싶을 만큼의 고통이 다른 누군가에게는 어렵지 않게 넘어갈 수 있는 고통으로 그칠 수 있다. 자아가 사건을 받아들이고 의미화 하는 방식이 다르기 때문이다. 핵심은 사건이 아니라 사건을 받아들이는 개인의 의미화 방식이다.

이연초의 소설에 등장하는 인물들은 언제나 사건을 거대하게만 받아들인다. 사건은 감당할 수 없는 방식으로 일어나 있고 주요 인물들은 사건의 여파에 허덕인다. 사건의 양상은 다양하다. 암에 걸리고(「천화」), 비 맞을 딸아이를 위해 학교에 마중 갔으나 바깥으로 나오지 않아도 된다는 말 때문에 큰 충격에 빠지며(「쥐가 눈을 치켜뜬 이유」), 자신에게 헌신했던 어머니가 돌아가실 때까지도 시험에 붙지 못해 삶에 의미를 잃거나(「하이드비하인드」), 산다는 것 자체에 대한 회의와 허망함이 어느 순간 엄습해 있다(「마지막 담배」). 그의 소설 세계는 언제나 한 개인의 끔찍한 실존적 위기로 점철되어 있는 것이다. 특히 「천화」와 「마지막 담배」는 더 주목할 만한데 이 두 소설에서는 개인의 어떠한 의지나 행위와도 관계없이 절망적인 사태가 펼쳐진다.

예정보다 일찍 서울로 돌아왔을 때, 그녀를 기다린 것은 새로운 삶이 아니라 암의 재발이었다. 겨우 1년만이었다. 암의 재생만이 명명백백한 사실임을 인정했을 때, 여자는 얼토당토않게 삼륜차들이 떠올랐다. 다시 떠나고 싶었을까.

―「천화」 부분

"가마우지 낚시라고 들어봤소?"

"가마우지요?"

"검은 잿빛에 작고 보잘 것 없는 날개를 가진 새라오. 이 가마우지 목에 밧줄을 걸은 뒤 풀어놓아 물고기를 잡게 하지요. 그 다음, 잽싸게 밧줄을 잡아당겨 잡은 물고기를 다시 다 토해내게 하는 낚싯법인데, 어째 그 가마우지가 요즘 생각나는지 모르겠소."

교대인사를 하고 돌아서기엔 박씨의 표정이 진지했다.

"언젠가 텔레비전에서도 방영되었는데, 사람을 공격하지 못하도록 주둥이를 갈고, 날지 못하게 깃털을 잘라내고 훈련까지 시키던 걸요…. 우리 신세가 그 가마우지 같은 거 아닌가 몰라."

– 「마지막 담배」 부분

암은 아무런 예고 없이 이미 찾아와 있고 삶에 대한 전면적 회의는 길들여진 가마우지에 대한 우의적 삽화 형식으로만 간략히 소개되어 있다. 소설은 이 특정한 사건이 왜 발생하게 되었는지에 대해 설명하지 않는다. 독자는 아무런 사전지식 없이 주인공의 힘겨운 상황을 그대로 받아들여야 한다. 이것은 이야기의 건축이 부실하다는 것을 의미하는가? 아니다. 오히려 이연초 소설의 전체적인 맥락을 고려했을 때 사건 발생의 인과적 요소 부재는 의미심장하게 해석되어야 한다. 설명할 수 없거나 설명되지 않는 사건이 등장했을 때 그 사건과의 마주침은 운명에 가까워진다. 그 사건이 생겨날 필연적인 이유가 없기 때문이다. 정해져 있는 것을 받아들이기만 하는 상황은 주인공이 겪는 좌절과 절망을 더 정확히 표현한다. 사건에 의해 몰락이 예정된 짓눌린 인간. 이것이 이연초가 바라보는 인간의 처지다.

사건은 언제나 사건에 대한 반응을 불러일으키기 마련이다. 자기 삶에서 극심한 실패를 겪은 이가 이전과 똑같은 삶의 방식으로 돌아간다는 것은 불가능하다. 사건을 겪은 이는 어떤 식으로든 삶이 바뀐다. 이연초가 보여주는 삶의 변화 방식은 다양하다. 딸아이 때문에 충격을 받는 「쥐가 눈을 치켜뜬 이유」의 주인

공은 심인성 치통을 겪고, 수험 공부에 실패한 채 어머니를 떠나
보낸 「하이드비하인드」의 주인공은 허무함 속에서 도서관 출근
을 반복하며, 「천화」, 「미명」, 「마지막 담배」의 주인공들은 사건
의 충격에서 벗어나기 위해 다른 어떤 무언가에 집요하게 매달린
다. 예컨대 「미명」의 경우 주인공은 아이를 잃은 엄마다. 아이는
뱃속에서 세달 만에 떠났다. 아이를 잃은 상실감은 끝없는 배내
옷 손질로 이어진다. 그녀가 아이와 직접적으로 관련된 사물을
통한 애도에서 벗어나는 건 가치를 알 수 없는 허름한 병풍을 얻
은 이후다. 병풍을 처분하러 간 표구점은 병풍의 정체가 유명한
설주 선생의 글씨와 미봉이라는 낯선 이의 그림으로 구성되어 있
다는 것을 알려주었는데 그때부터 그녀는 미봉에게 특별한 관심
을 보인다.

> 여자는 다시 인터넷을 뒤지기 시작했다. 그러고는 책자를
> 찾았다. 남종화, 수묵화, 몰골법, 구륵법…. 낯선 용어를 접하
> 면서 그녀는 차츰 아이의 배내옷 손질을 잊어 갔다. 어디에도
> 미봉 송수근은 그림자도 드리우지 않았지만, 날이 갈수록 병풍
> 에 대한 여자의 집착은 커져 갔다.
>
> — 「미명」 중에서

미봉이 누구인지 알 길은 없었다. 하지만 미봉이 누구인지 모
른다는 바로 그 이유가 그녀를 병풍에 더 빠져들도록 만든다. 유

명한 설주 선생과 한 자리에 그림을 그린, 하지만 인명사전에서도 찾아 볼 수 없는 미봉에 대한 집착은 자신이 잃어버린 아이에 대한 집착을 대신한다. 이름을 남기지 못하고 죽은 미봉처럼 수많은 작가들이 작품 활동을 하면서 절박하게 살았으리라는 생각이 그녀를 가슴을 뜨겁게 만든다. 그녀는 미봉 역시 설주처럼 이름이 회자될 수 있도록 미봉의 흔적을 계속 더듬는다. 이는 물론 이름도 못 가진 채 죽은 자신의 아이를 애도하기 위한 행위를 대신한다. 「천화」와 「마지막 담배」 역시 마찬가지다. 「천화」는 암이 재발한 여성이 갖는 삶에 대한 의지가 맹렬한 성욕으로 나타나는 것을 그리며, 「마지막 담배」는 삶이 급작스럽게 허무해진 남자가 담배 밭을 경작하는데 열성인 모습을 보여준다. 그들은 자기 삶의 충격적 공백을 메우기 위해 안간힘을 쓰는 중이다.

다행인지 불행인지 지금까지 언급했던 모든 인물들은 나름의 방식으로 위기에서 벗어난다. 그들에게는 무의 상태로 전락하려는 의지보다 생의 의미를 만들어내려는 의지가 훨씬 더 강하다. 사실 사건의 파장을 어떤 방식으로 건 받아들이는 움직임은 생의 의미를 다른 방식으로 만들고 있는 과정이라 해도 과언이 아니다. 애도의 과정을 스스로 인식하고 있지 않다고 해서 그것을 애도라도 부르지 못할 이유는 없다. 간단히 말해 애도란 자신이 상실한 무언가로 인해 발생한 삶의 공백을 다시 채우는 과정 아닌가. 우리가 짚어야 할 지점은 소설 속의 인물들 각각이 자신의 애도를 종결하는 과정이다. 이연초는 위기의 순간을 넘어서는 여러 양상을 보여준다.

먼저 「천화」에서는 여자의 위기가 금지의 문제와 함께 다뤄진다. 암에 걸린 여자는 단 한 번도 성관계를 해본 적이 없다. 자신이 죽을 것이라고 생각하는 그녀는 자기 의지로 죽음과 방불한 성관계를 해야겠다고 결심한다. 그러나 쉽지 않다. 그녀가 찾아낸 대상은 같은 아파트 단지의 할아버지인데 부인이 있다. 그녀는 자신이 습득한 도덕과 소망, 윤리 의식 등이 할아버지와의 성관계를 허락하는 동시에 허락하지 않는다는 것을 알고 있다. 곧 죽을 몸이지만 처녀인 자신이 어떻게 타인의 남편과, 그것도 할아버지와 성관계를 할 수 있단 말인가. 「천화」는 여자의 내적 갈등을 첨예하게 보여줌으로써 한 사람의 목숨을 건 고뇌가 사회의 법, 도덕, 관습, 질서 등과 연관되어 있음을 드러낸다. 따라서 여러 사건 끝에 할아버지와 맺게 되는 성관계는 그녀 자신의 허무를 극복하게 되는 계기이자 사회의 질서를 넘어서는 행위가 된다. 「천화」는 삶의 의미를 잃어버린 이의 구원만을 보여준 게 아니라 사회적 통념과 질서가 갖는 인위성까지 짚어낸 소설이다.

「하이드비하인드」는 제목부터 의미심장하다. 하이드비하인드는 정체를 알 수 없는 환상종이다. 그것은 언제나 어떤 사물 뒤에 숨어 있다 인간을 죽인다. 죽임을 당한 이는 무엇에게 죽임을 당했는지도 알 수 없다. 다시 말해 자신을 덮친 존재가 하이드비하인드인지도 모른다. 하이드비하인드는 그만큼 기묘한 미지의 공포다. 소설 「하이드비하인드」는 자신을 위해 헌신한 어머니에게 시험 합격이라는 선물을 드리지 못해 허무함에 빠진 주인공과 세상에서 비껴난 듯한 낯선 남성이 하이드비하인드로 비유된 삶 혹은 세상에 노출된 이야기다. 알 수 없는 공포가 지배하는 세상 속에서 남성은 결국 제 3자의 개입 없는 죽음을 택하는데, 이를 알게 된 주인공에게 (하이드비하인드의 현전인 듯한)소년이 등장해 남성의 죽음이 자유죽음이라고 주장한다. 사람들이 투신하는 이유는 "자기 자신의 주인이 되어 본 적이 없는 사람들, 그렇지만 한순간도 그 꿈을 버리지 못하는 사람들이 택하는 방법"이다. 여기서 자유죽음과 삶에의 의지가 대립되는데 소설은 삶을 택한다. 주인공은 자신을 붙드는 소년을 뿌리치고 도망친다. 소설 말미 등장하는 수많은 외팔이 소년이 주인공에게 보내는 웃음은 무의미로 전락하려는 삶을 방어해낸 주인공에게 보내는 응원 같은 것이 아닐까.

「미명」의 주인공이 자기 삶에 벌어진 틈을 메우기 위해 행했던 것은 이름도 없이 사라진 아이에 대한 마음을, 마찬가지로 이름 없이 사라진 수많은 예술가들의 삶(특히 미봉)에 투사하는 것이었다. 그녀는 절박하게 살았을 미봉의 흔적을 오랜 시간 동안 찾아 헤매지만 결국 실패한다. 그녀가 최종적으로 확인한 것은 미봉이 설주의 그림을 훔쳐 낙관을 찍은 머슴일수도 있다는 가능성이다. 결국 미봉 찾기는 신기루에 대한 집착에 불과했던 셈이다. 허탈해진 그녀의 자기 극복은 우연찮게 찾아온다. 어느 날 텅 빈 미술관에 지쳐 앉아 있는 그녀에게 한 노인이 다가와 『삶은 예술과 경쟁하지 않는다』는 제목의 책을 건네며 제언을 붙인다. "삶이 예술과 경쟁하지 않는다는 사실을 난 이제야 깨달았소. 초록 하나도 서로 같지 않으면서 어느새 한 초록으로 숲을 이루는 저 나무들을 보시오." 노인의 말이 건네는 것은 그녀가 강박적으로 일치시키고자 했던 예술가의 삶과 일상을 사는 평범한 인간의 삶이란 사실 크게 다르지 않다는 깨달음이다. 그제야 여자는 자신이 추구했던 방향이 자신의 아이를 특별한 존재로 만들려 했던 자신의 욕심이었음을 깨닫고 애도를 종결한다. 소설은 우리 모두가 미봉이며 따라서 특별한 존재이자 평범한 존재라는 것을 밝히는 것으로 끝난다.

「마지막 담배」의 주인공은 평생을 담배 하나에 의지해 살아온 사람이다. 한데 정부의 급작스런 담뱃값 인상이 빈곤한 그에게 금연을 강제한다. 담배 하나 편하게 필 수 없는 처지가 된 그는 지난 모든 인생이 거대한 힘에 의해 완벽하게 부정당하는 것만 같다고 생각한다. 삶이 허망하다고 느껴질 무렵, 그는 자신을 길들여진 가마우지에 비유하며 스스로 생을 마감한 직장 동료의 담배 밭을 경작하게 된다. 담배 밭 경작은 자기 삶이 공空으로 전락하는 것을 막기 위한 것인 만큼 성실히 진행된다. 그러나 위기는 또 한 번 발생한다. 어느 날 갑자기 찾아온 농장주가 담배 밭을 갈아엎어버린 것이다. 경작물을 두고 주인과 다투던 그는 담배와 관련된 법이 애매해지고 있는데다가 자신이 가진 설비로는 담배

수확에 따른 손해가 막심하다는 것을 알게 되고 다시 허무함에 빠진다. 충격은 의외로 빨리 회복된다. 사실 그에게 발생한 사건은 이미 그가 극복할만한 성질의 것이었는지도 모른다. 담배 자체가 그를 고통에 빠트린 게 아니라 담배를 규제하는 환경이 그를 고통에 빠트렸으니까. 모든 것이 망가진 뒤 과거를 회상하던 그는 죽은 동료에게 들었던 담배 꽃의 꽃말을 기억해낸다. "담배꽃에도 꽃말이 있어요, 아시오? '그대 있어 외롭지 않네', 또 '고난을 이겨내다'라고도 한다지요." 이 위로가 그를 다시 힘나게 한다. 그는 다시 담배를 피기 시작함으로써 자신의 삶을 견딜 수있게 하는 근본적 보충물을 찾는데 성공한다.

지금까지 읽었듯이 이연초의 소설은 얼마간 도식적인 성격을 갖고 있다. 감당할 수 없는 사건의 발생 → 사건에 의한 허무함 → 허무함 극복. 여기서 자신과 혹은 삶과의 화해에 성공하지 못한 인물은 없다. 하지만 아직 다른 유형의 인물들에 관해서는 한마디도 하지 않았다. 그리고 어쩌면 이 인물들이야말로 이연초 소설을 더 빛내주는 주인공일지도 모른다. 이제 「그 여자, 진선미」와 「수자」를 다룰 차례다.

두 소설의 주인공이 갖는 근본적인 정념은 죄의식이다. 「그여자, 진선미」에는 어릴 때 엄마에게 사랑받지 못한 상처를 갖고있는 여자가 등장한다. 그녀는 나이가 들어 혼자가 된 엄마를 어쩔 수 없이 부양해야 하는 처지다. 둘의 관계는 양면적이다. 제멋

대로 화를 내면서도 자신에게만 의지하는 엄마는 보살펴줘야 할 존재이자 분노를 일으키는 존재다. 둘은 서로 의지하기도 하지만 서로 같이 산다는 이유로 계속 불화한다. 그러던 어느 날 지남력에 문제가 있는 엄마가 사라져서 나타나지 않는다. 이것은 여자에게 엄청난 사건이 된다. 엄마에게서 벗어나고 싶기도 했던 그녀는 외출할 때마다 현관문 틈에 대못 하나를 박아 넣어서 엄마의 바깥 활동을 통제했는데 하필 장치를 하지 않은 날 엄마가 사라졌기 때문이다. 사건 이후 여자는 자신의 죄책감을 외면하기 위한 온갖 노력을 다 한다. 그 중 가장 시급한 문제는 어머니가 나갈 수 있는 여건이 존재했다는 것을 알고 있는 경비원 최 씨가 다가오는 인원 조정에서 살아남지 못하도록 만드는 것이다. 그가 자신과 엄마에게 항상 친절했다는 것에는 일고의 가치도 없다. 그녀는 관리소장을 찾아가 최 씨에게 치매기가 있는 것 같다고 전한다. 한데 우연찮게도 바로 그날 최 씨는 부정맥으로 죽었다. 여자는 이 모든 상황 속에서도 자신을 설득하고 위로하는데 성공한다. 그렇다면 「그 여자, 진선미」는 진선미라는 여자의 죄의식과 자기기만에 관한 사적인 이야기인가(「수자」는 그렇다). 여기서 소설이 이 모든 형국을 세월호, 국정농단, 촛불집회와 함께 끌고 간다는 점을 염두에 두어야 한다. 핵심은 여자의 명백한 잘못과 기만이 저 사건들을 만들어낸 책임자들의 기만과 겹친다는 점, 여자의 자기 설득과 위로는 저 사건과 얽힌 이들의 자기 위로와 겹친다는 점이다. 때문에 소설 말미 여자가 내지르는 말은 가히 섬뜩하다.

    내가 원했던 게 아니잖아. 내가 원한 게 아니라고! 괜찮아.
괜찮아.

―「그 여자, 진선미」 부분

자신이 원한 게 아니라는 말로써 여자가 원했던 것은 명백하
다. 자기 자신의 과오를 숨기기 위해서라면 타인에 대한 근거 없
는 비난, 친절을 잊는 몰염치함, 죽음에 대한 무관심, 그러니까
우리가 지향해야 한다고 믿는 '정의', '인간다움', '아름다움' 모
두를 거부해야 한다. 세월호가 침몰하게 둔 핵심적인 이들이 그
렇지 않았는가? 국정농단에 참여한 이들 역시 그러하지 않았는
가? 촛불집회는 이를 되돌리기 위한 시민들의 간절한 염원 아니
었는가? 이연초는 작품을 통해 우리 사회가 겪어온 지난 시간이
진,선,미를 상실한 시간임을 보여주고 있다.

소설에서의 화해는 작중 인물에 대한 구원이자 삶을 살아가는
긍정적인 방향의 제시라고 할 수 있다. 고난을 겪는 주인공이 작
은 성공이나 평화를 얻는다는 서사 진행은 삶에 지친 독자에게
대리 만족을 통한 위로를 건넨다. 하지만 화해가 언제나 좋은 것
만은 아니다. 화해는 갈등을 봉합하는데 그칠 가능성을 항상 내
포하고 있다. 사실 완벽한 화해는 완벽한 화해라는 환상에 기댄

것이 아닌가. 그러니 어쩌면 이토록 끔찍하게 자신의 문제를 끌고 가서 다른 사람들을 끝까지 파멸시키는 서사가 문학적으로 더 가치 있을지도 모른다. 불행을 파헤치면 파헤칠수록 진리가 등장하게 된다는 것이 우리 삶의 비극적 진실 중 하나이기 때문에.

'작가의 말'을 여러 번 바꿔 썼다. 무언가가 자꾸 뒷덜미를 잡아당겼고, 번번이 앞에 쓴 글을 파기해야 했다. 모니터 앞에 네 번째 앉았을 때였다. 더 가벼워지세요! 나는 뒤를 돌아봤고, 도형(「하이드비하인드」)이 뚜벅뚜벅 멀어져갔다. 짜식.

수록된 대다수의 작품들은 2011년부터 여기저기 소소하게 발표된 것들이다. 그것들을 고르는 작업은 새로운 경험이었다. 몇 년 새에 빠르게 낡아 버린 것이 있는가 하면 여전히 시간을 견디고 있는 것이 있었다. 분명한 생각을 가지고 썼던 것이 그새 희미해져 버렸는가 하면, 내가 쓴 게 맞나? 새롭게 감흥을 일으키는 것도 있었다. 한편, 한데 모아놓고 보니 각양각색, 오합지졸 같다는 부끄러움도 없지 않았다.

그리고 다시 보였다. 지난 나의 시절들이 결코 녹록하지만 않았다는 것이. 동시에 너무 미시적인 내 이야기에만 몰입했다는 것도. '미명'이나 '수자'의 인물들은 말할 것도 없고 눈 먼 노인의 생명력마저 질투하는 병든 여자(「천화」)나 담배농사를 짓겠다고 뛰어든 두 중늙은이들(「마지막 담배」), 윤리나 선과는 거리가 먼, 대책 없는 요령부득의 그 여자 진선미까지, 모두들 나의 분신이었음을 고백해야겠다. 어쩌면 나의 소설쓰기는 내 안의 작은 아이를 들여다보거나 끄집어내기였다. 내 안에 너무 많은 아이가 있었던 것이다.

마지막에 수록된 「어떤 하루」는 내 고향과 어머니께 바치는 소박한 헌사이다. 세월호를 이렇게 담아도 되는가, 스스로 불만이었지만 내 어머니를 기억하듯 서툴지만 함께 가고 싶었다.

등단 이후, 이제는 책임감 있는 소설을 써야지 싶었는데 잘 되지 않았다. 쓰다보면 시선은 어느새 내 안으로 돌아와 버렸고, 나는 내 안의 우물을 파기에 급급했다. 부스러지고 파편화된 영혼, 이해불가해한 결점투성이의 유한한 존재자, 가장자리로 밀려난 사람들, 그들에 대한 연민은 결국 내 자신에 대한 탐구였던 것이다.

흩어진 작품들을 정리하고 보니 앞으로의 숙제가 더 분명하게 보였다. 타자에게, '제대로', 나아가기.

소설쓰기와 현실 사이의 간극에서 멈춰 설 때면 나는 다음과 같은 말로 내 자신을 몰아세우곤 했다.

네가 이렇게 미지근하여 뜨겁지도 않고 차지도 않으니, 나는 너를 입에서 뱉어버리겠다.

— 묵시록 3, 16

그러나 이제는 알겠다. 그런 무시무시한 협박으로 소설이 잘 써질 리 없다는 것을. 어깨 힘 빼고 쓸 일이다. 내가 감당할 만한 무게만큼만 짊어지려 한다. 대신 '제대로' 책임질 것.

어쩐지 나는 지금 하나의 긴 터널을 통과하고 있는 것 같은 기분이 든다.

다시, 더 낮은 포복자세로 생의 이면을 향해 나아갈 것이다. 아직 나는 세상의 진면목을, 무수한 인간 군상을 조금밖에 보지 못했다. 소설은 무용하지만 그 무용함으로 인해 더욱 유용하다는 역설은 항상 나를 일으켜 세운다.

어쩌면 다음엔 더 밝고 더 따뜻한 소설을 쓸 수 있을지도! 그 생각만으로도 참 좋다.

책을 펴내는 데 도움 준 많은 분들께 감사드린다.

세상을 홀로 살 수 없듯, 이 책 또한 나 혼자 만든 것이 아님을 잘 알고 있다.

2018년 가을 초입, 이연초

그 여자, 진선미 이연초 소설집

초판1쇄 찍은 날 | 2018년 10월 2일
초판1쇄 펴낸 날 | 2018년 10월 10일

지은이 | 이연초
펴낸이 | 송광룡
펴낸곳 | 문학들
등록 | 2005년 8월 24일 제2005 1-2호
주소 | 61489 광주광역시 동구 천변우로 487(학동) 2층
전화 | 062-651-6968
팩스 | 062-651-9690
전자우편 | munhakdle@hanmail.net
블로그 | blog.naver.com/munhakdlesimmian
값 12,000원

ISBN 979-11-86530-52-8   03810

· 이 책은 광주광역시·광주문화재단의 지역문화예술특성화지원사업으로
   지원 받아 발간되었습니다.

후원 광주광역시 광주문화재단